Robert Winston

MON
CORPS
C'EST TOUT
MOI !

Dépôt légal: 2e trimestre 2005
Bibliothèque nationale du Québec
Bibliothèque nationale du Canada

ISBN 2-7613-1726-2
K 17262

Imprimé en Italie
Édition vendue exclusivement
au Canada.

« T'es-tu déjà demandé pourquoi tu n'aimais pas
un aliment particulier, pourquoi ton visage ne ressemblait
à aucun autre ou pourquoi tu te tenais ou t'exprimais
parfois exactement comme tes parents ?
Ton corps, ton cerveau, ta façon de penser, d'agir et
de te comporter sont liés – et ils contribuent
tous à te rendre différent des autres personnes.

Ce livre parle de tout ce qui fait de toi un être unique, aussi bien
la forme de tes oreilles, le son de ta voix que ton sens de l'humour
ou tes grandes frayeurs. Ta personnalité, avec ses défauts et ses qualités,
te définit autant que tes caractéristiques physiques.
Des questions et des tests te permettront
de mieux te connaître et de rechercher
en t'amusant tout ce qui fait que tu es *toi*. »

 De quoi suis-je **FAIT** ?

 **UNIQUE**, moi, pourquoi ?

 Comment marche mon **CERVEAU** ?

 Quelle **PERSONNE** suis-je ?

 Des **TESTS** pour se connaître

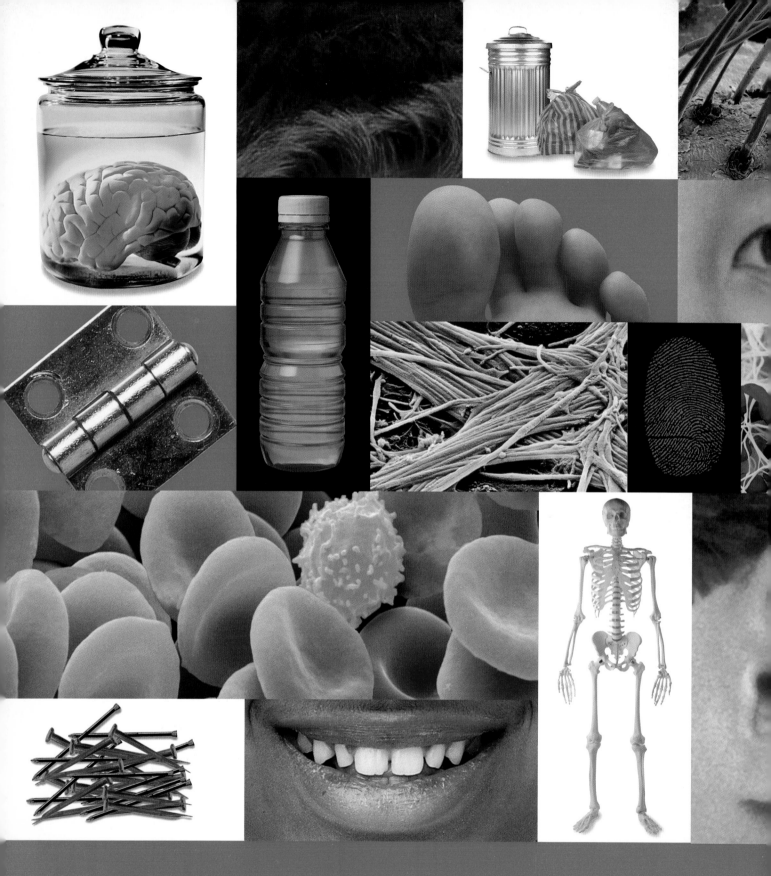

De quoi suis-je FAIT ?

" Ton corps est une machine extraordinairement compliquée composée de

5 milliards de milliards de milliards d'atomes.

Depuis plus de 4 000 ans, les hommes cherchent à comprendre comment leur corps fonctionne, mais il reste encore beaucoup de mystères, notamment sur les mécanismes de notre cerveau.

En revanche, nous savons très bien de quoi nous sommes constitués : juste de l'eau, du carbone et une poignée d'éléments chimiques de base que l'on retrouve un peu partout. En fait, tu pourrais creuser dans ton jardin pour y trouver tous les éléments chimiques qui composent un corps humain. "

Les MATÉRIAUX

Imagine que tu veuilles construire un corps humain à partir de rien, en utilisant des matériaux très simples. Et bien tu pourrais le faire avec seulement 13 **éléments** chimiques. Tous les êtres vivants, de la **mouche** à la **baleine**, sont composés exactement avec la même matière.

EAU

PHOSPHORE

FER

CHLORE

AZOTE

CALCIUM

SOUFRE

POTASSIUM

1 Oxygène : 65 %

L'oxygène compose environ les deux tiers de ton corps, essentiellement sous forme d'eau (H_2O). Tu prends aussi de l'oxygène dans l'air chaque fois que tu respires.

2 Carbone : 18 %

Près d'un cinquième de ton corps est fait de carbone – le même matériau que le charbon ou la mine des crayons. Les atomes de carbone s'assemblent en longues chaînes qui forment l'armature de toutes les molécules du corps.

3 Hydrogène : 10 %

L'hydrogène est l'atome le plus répandu dans l'univers, mais aussi **le plus petit**. Le gaz hydrogène est très léger et peut monter dans l'air – on l'utilisait autrefois pour gonfler les ballons.

4 Azote : 3 %

Un sac d'engrais pour les plantes contient à peu près autant d'azote qu'un corps humain. L'azote est l'un des matériaux essentiels des muscles et le principal composant de l'air.

5 Phosphore : 1 %

Le phosphore (la matière qui enflamme le bout des allumettes) forme la membrane des cellules, aide à transporter l'énergie, mais renforce aussi tes dents et tes os.

LES INGRÉDIENTS

33 kg d'oxygène + 9 kg de carbone + 800 g de calcium + 500 g de phosphore + 130 g de soufre + 80 g de chlore + 4 g de fer + 0,02 g d'iode

SODIUM

IODE

MAGNÉSIUM

CARBONE

DU CORPS HUMAIN…

+ 5 kg d'hydrogène + 1,5 kg d'azote

+ 180 g de potassium

+ 25 g de magnésium

= TOI !

Qu'y a-t-il d'autre ?

Le corps est aussi composé de quantités minimes de cuivre, zinc, manganèse, cobalt, lithium, strontium, aluminium, silice, plomb, arsenic et même d'**uranium** (environ 90 microgrammes).

6 **Potassium :** 0,35 %
On trouve du potassium dans les produits caustiques et les engrais. Il participe à l'équilibre chimique du corps.

7 **Chlore :** 0,15 %
Le chlore est utilisé pour la fabrication de l'eau de Javel. Dans le corps, il se fixe sur le sodium et forme le chlorure de sodium.

8 **Sodium :** 0,15 %
C'est l'autre partie du chlorure de sodium (ou sel), qui fait que tes liquides corporels sont aussi salés que l'eau de mer.

9 **Magnésium :** 0,05 %
La lumière blanche des feux d'artifice vient de la combustion du magnésium. Dans le corps, le magnésium consolide le système immunitaire, aide les nerfs à transmettre l'influx et les muscles à se contracter.

10 **Soufre :** 0,25 %
Le soufre est un composant des protéines qui aide le sang à coaguler. C'est lui qui donne une mauvaise odeur aux œufs pourris, aux eaux stagnantes et aux pets !

11 **Calcium :** 1,6 %
Le calcium est le matériau qui compose les coquillages, la craie ou le marbre. Il rend les os solides, contribue au maintien des battements du cœur et permet aux muscles de travailler.

12 **Fer :** 0,008 %
Il y a juste assez de fer dans ton corps pour fabriquer un clou. Le fer rougit au contact de l'oxygène, c'est pourquoi le sang comme la rouille sont rouges.

13 **Iode :** 0,00004 %
Il y a à peine une pincée d'iode dans ton corps, mais elle est vitale ! Donne de l'iode à un têtard et il devient une grenouille.

LES CELLULES

Il est impossible de construire un corps humain juste en mélangeant des éléments chimiques – on ne fabrique pas un avion juste en agitant des bouts de ferraille !
Il faut d'abord collecter les **100 000 milliards** d'unités microscopiques, appelées **cellules**, qui composent notre corps, puis les assembler en formant un puzzle d'une complexité incroyable. Voici quelques exemples de cellules.

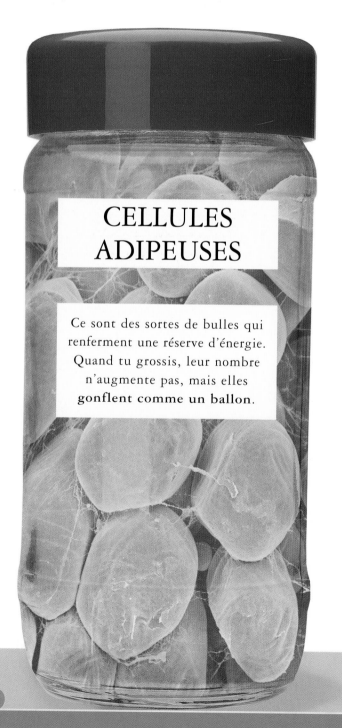

CELLULES ADIPEUSES

Ce sont des sortes de bulles qui renferment une réserve d'énergie. Quand tu grossis, leur nombre n'augmente pas, mais elles **gonflent comme un ballon.**

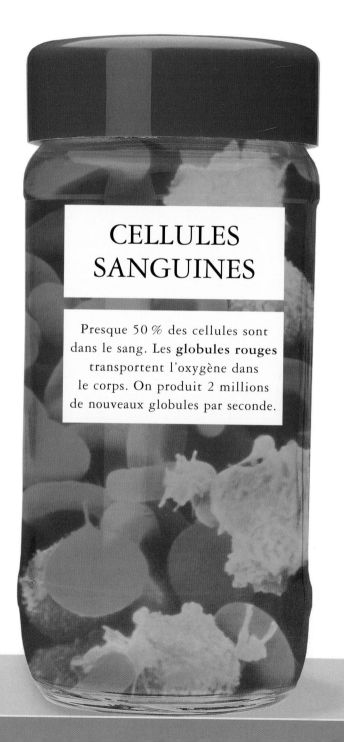

CELLULES SANGUINES

Presque 50 % des cellules sont dans le sang. Les **globules rouges** transportent l'oxygène dans le corps. On produit 2 millions de nouveaux globules par seconde.

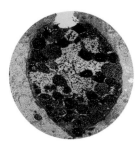

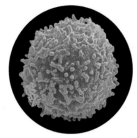

Cellules visuelles

Elles détectent la lumière et donnent le sens de la vue.

Cellules glandulaires

Elles composent, par exemple, le mucus qui sort de ton nez.

Spermatozoïdes

Un spermatozoïde fusionne avec un ovule, lors de la fécondation.

Cellules cutanées

Elles protègent le corps contre les agressions extérieures.

Globules blancs

Ces cellules sentinelles traquent les microbes dans ton corps pour les **éliminer**.

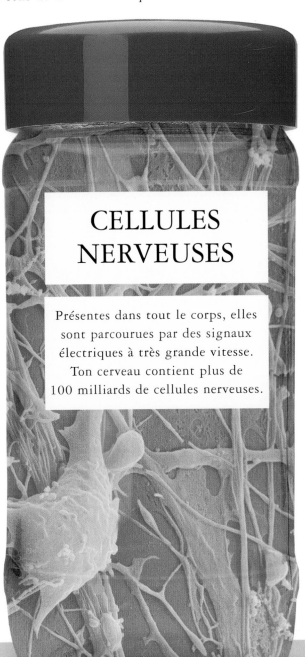

CELLULES NERVEUSES

Présentes dans tout le corps, elles sont parcourues par des signaux électriques à très grande vitesse. Ton cerveau contient plus de 100 milliards de cellules nerveuses.

CELLULES OSSEUSES

Bien qu'ils paraissent inertes, les os renferment des cellules vivantes. Ces cellules s'enrobent de minéraux pour fabriquer de l'os dur.

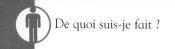

LES ORGANES

Il te faudrait une **éternité** pour construire un corps avec des cellules séparées, mais tu irais plus vite avec des éléments plus grands. Les cellules identiques se rassemblent pour former des **tissus** comme la graisse, les nerfs ou les muscles.

9 litres de **sang**, 2 mètres carrés de **peau**, 5 millions de **poils**, 1 seau de **graisse**,

| Sang | Peau | Poils | Graisse |

Le sang est un liquide qui transporte les éléments vitaux dans le corps. Des milliards de globules rouges y flottent dans de l'eau mêlée à du sel, du sucre et d'autres substances.

L'organe le plus étendu est la peau, qui protège le corps. Sa surface (épiderme) se renouvelle sans cesse.

Ils couvrent tout le corps sauf les lèvres, la paume des mains et la plante des pieds.

Située sous la peau et autour d'organes, elle est la réserve d'énergie du corps.

2 poumons, 2 reins et 1 vessie, 1 estomac, 9 mètres d'intestin,

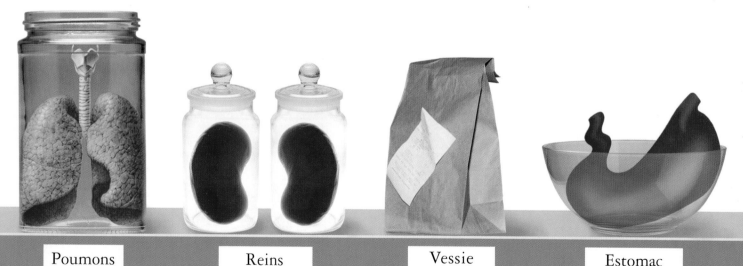

| Poumons | Reins | Vessie | Estomac |

Ils prélèvent l'**oxygène** dans l'air et le transmettent au sang.

Le corps produit en permanence des déchets que les reins filtrent et rejettent dans l'urine.

L'urine venue des reins s'accumule dans un sac appelé vessie : quand ce sac est plein, tu ressens le besoin d'uriner.

L'estomac est une poche en forme de J, qui malaxe les aliments et commence à les digérer avec des acides.

Deux ou plusieurs tissus peuvent former un élément qui a une fonction spécifique, c'est-à-dire un **organe** (cœur, estomac, cerveau…). De quels tissus et organes as-tu besoin pour fabriquer un corps ?

206 **os** reliés à 640 **muscles**, 100 000 kilomètres de **vaisseaux sanguins**, 1 **cœur**,

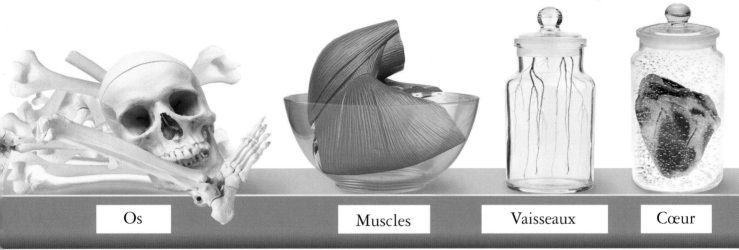

Os	Muscles	Vaisseaux	Cœur

Les os forment le squelette, qui maintient chaque organe en place et autorise les mouvements, grâce à ses remarquables articulations mobiles.

Ils agissent sur les os pour faire bouger le corps. Ils forment aussi la paroi d'organes internes comme le cœur.

Le sang circule dans des conduits appelés vaisseaux sanguins : les artères, les veines, les capillaires.

C'est la pompe qui propulse le sang dans tout le corps, en continu.

1 **foie**, 32 **dents**, 1 **cerveau** et des **organes sensoriels**.

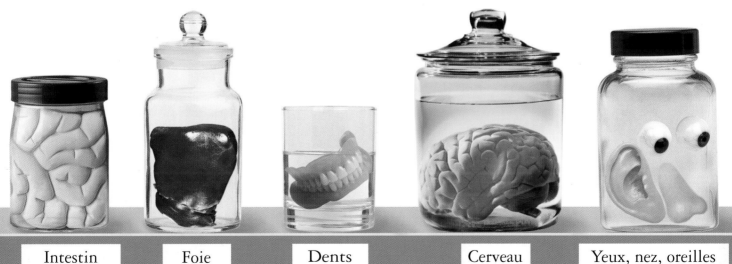

Intestin	Foie	Dents	Cerveau	Yeux, nez, oreilles

Ce tube sinueux transforme les aliments en substances simples, absorbables par le sang.

Cette usine chimique libère de nombreuses substances dans le sang.

Les dents broient les aliments et les écrasent en une pâte facile à avaler.

C'est le centre de contrôle du corps et le siège de l'intellect, où naissent les pensées, les souvenirs et les sentiments.

Les yeux, le nez et les oreilles sont trois organes sensoriels importants.

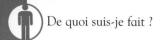

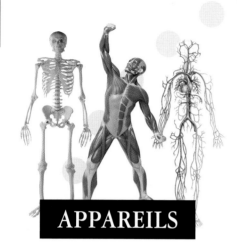

APPAREILS

TOI

MATÉRIAUX

ASSEMBLER
LE TOUT

ORGANES

CELLULES

Lorsque tu as réuni tous les **morceaux du corps**, tu peux commencer à les assembler. De la même façon que les matériaux forment des cellules et les cellules, des tissus, les organes s'unissent pour former des **appareils** qui ont chacun leur rôle. Le premier appareil à construire est le squelette, qui fait office d'armature. Puis tu ajoutes les organes, tu les connectes entre eux, tu enveloppes le tout sous une couche de peau et tu branches les organes sensoriels.

LE SQUELETTE

Le squelette est une charpente osseuse qui maintient tout ton corps en place : sans lui, tu t'écroulerais comme un château de cartes. Les os représentent environ 25 % du poids et la moitié d'entre eux – 206 au total – sont dans les pieds et les mains. Les os sont reliés par des **articulations** et charnières qui te permettent de bouger.

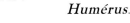

Les os peuvent saigner quand ils sont blessés.

Qu'y a-t-il dedans ?

L'os n'est pas aussi solide et lourd qu'il le semble. Son contenu est plein de **cavités** qui l'allègent et laissent passer les nerfs et les vaisseaux sanguins.

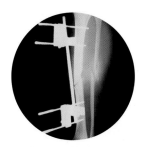

Un tissu vivant

L'os est un **tissu vivant**, qui se régénère comme la peau. En cas de fracture, un nouveau tissu osseux se forme et comble le vide. Quand tu fais du sport, tes os deviennent plus forts et plus denses.

Les articulations

Elles verrouillent les os tout en autorisant certains mouvements. Celles des doigts, du coude et du genou fonctionnent comme des **charnières**, en limitant le mouvement à une seule direction.

La hanche et l'épaule

Elles sont montées comme des rotules de voiture, ce qui permet de **larges mouvements** dans toutes les directions. Une poche de liquide (synovie) entoure la jointure pour assouplir son fonctionnement.

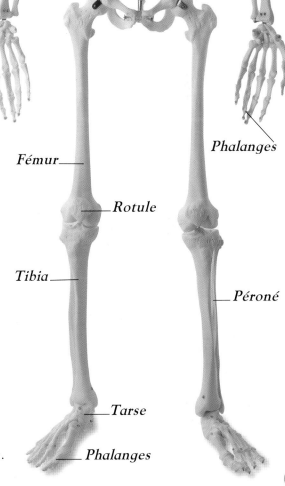

Crâne

Vertèbre

Humérus

Côte

Vertèbre

Radius

Bassin

Cubitus

Phalanges

Fémur

Rotule

Tibia

Péroné

Tarse

Phalanges

LES MUSCLES

Ce sont eux qui te font bouger. Les plus gros recouvrent les os et y sont attachés par des cordages épais appelés **tendons**. Quand tes muscles se contractent, ils tirent sur les os et mobilisent ton squelette. Tu peux contrôler environ 640 muscles, mais il en existe bien d'autres que tu ne peux bouger volontairement.

Les muscles pèsent environ 40 % du poids du corps.

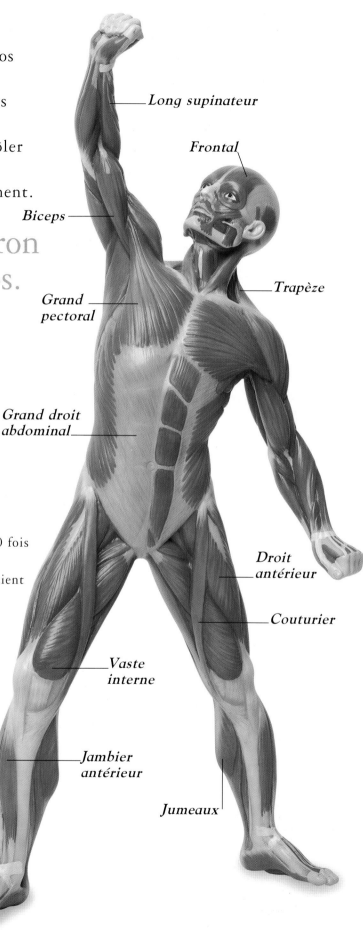

Long supinateur

Frontal

Biceps

Trapèze

Grand pectoral

Grand droit abdominal

Droit antérieur

Couturier

Vaste interne

Jambier antérieur

Jumeaux

Un faux sourire
Ton visage compte **60 muscles**, mais tu ne peux pas tous les contrôler. Ainsi, un sourire simulé ne ressemble pas à un sourire spontané.

Le clin d'œil
Les muscles **les plus rapides** sont ceux des paupières. Ils clignent 20 fois par minute pour maintenir l'œil humide. Si tes paupières ne clignaient plus, tu pourrais devenir aveugle.

Un doigt bloqué !
Mets ta main dans cette position et lève tes doigts un à un. Tu verras que ton annulaire est bloqué, car il est attaché au même tendon que le majeur.

Tourne ta langue !
La partie la plus flexible de ton corps est ta langue. Elle contient **14 muscles** disposés en un faisceau qui peut se tordre et tourner dans toutes les directions.

L'APPAREIL CIRCULATOIRE

Le sang est le moyen de transport du corps. Propulsé par le cœur, il chemine à travers des conduits (les vaisseaux sanguins) et distribue l'**oxygène**, la nourriture et les substances chimiques dont les cellules ont besoin. Il véhicule aussi des cellules qui combattent les microbes, il récupère les déchets et répartit la chaleur.

Ton cœur bat environ 100 000 fois par jour.

Les globules rouges

Ils sont remplis d'une substance riche en fer, l'**hémoglobine**, qui prend l'oxygène dans les poumons et le relâche dans tout le corps. Une goutte de sang contient 5 millions de globules rouges.

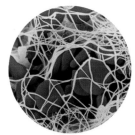

Le caillot de sang

Quand tu te coupes, des substances du sang créent un enchevêtrement de fibres qui piègent les globules rouges. Un caillot se forme, qui se dessèche pour devenir une croûte.

Le cœur

Le cœur est un muscle gros comme le poing, mais plus puissant. Chaque fois qu'il bat, il propulse du sang dans le corps. Le sang sort du cœur par les **artères** et y revient par les **veines**.

Prends ton pouls

Ton pouls bat chaque fois que ton cœur se contracte. Ton cœur bat normalement 70 fois par minute, mais il peut monter jusqu'à 200 fois si tu es très excité.

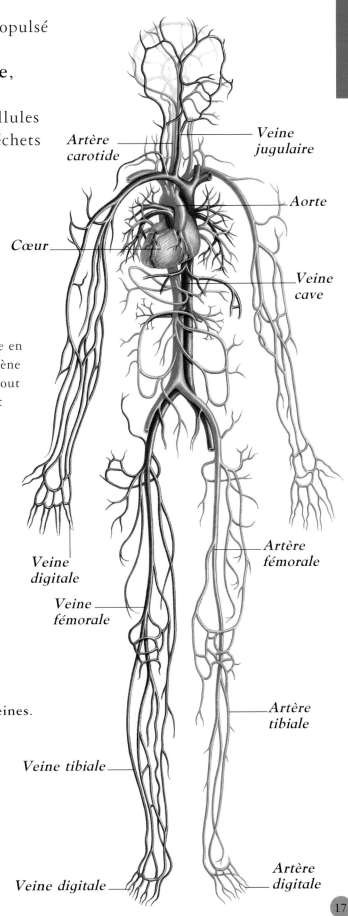

Artère carotide

Veine jugulaire

Aorte

Cœur

Veine cave

Artère fémorale

Veine digitale

Veine fémorale

Artère tibiale

Veine tibiale

Veine digitale

Artère digitale

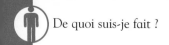
LE SYSTÈME NERVEUX

Le système nerveux te permet de réagir à l'environnement à une **vitesse fulgurante**. Il fonctionne un peu comme un réseau de fils et de câbles électriques, chargé non pas d'énergie, mais d'informations. Son centre de contrôle est le cerveau, qui perçoit les **signaux** des organes sensoriels, traite l'information et envoie de nouveaux signaux afin d'indiquer au corps comment réagir.

L'influx parcourt les nerfs à près de 400 km/h.

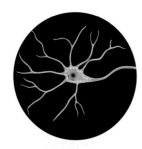

Les neurones

Le système nerveux est un ensemble de cellules nommées neurones et pourvues de longues fibres qui véhiculent l'influx nerveux.

Les nerfs

Ce sont les principaux câbles du corps. Ils sont faits de centaines de fibres nerveuses, qui atteignent tous les coins et recoins du corps.

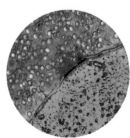

D'un neurone à l'autre

Quand l'influx atteint l'extrémité d'un neurone, un interstice appelé **synapse** stoppe sa progression vers le neurone suivant. Des substances, appelées neuromédiateurs, traversent la synapse et transmettent l'influx à la cellule suivante.

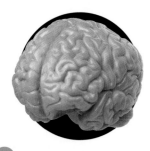

Le centre de contrôle

Ton cerveau a la taille d'une grosse noix de coco et une surface plissée comme une noix. Il est relié au reste du système nerveux par un cordon de neurones, la **moelle épinière**.

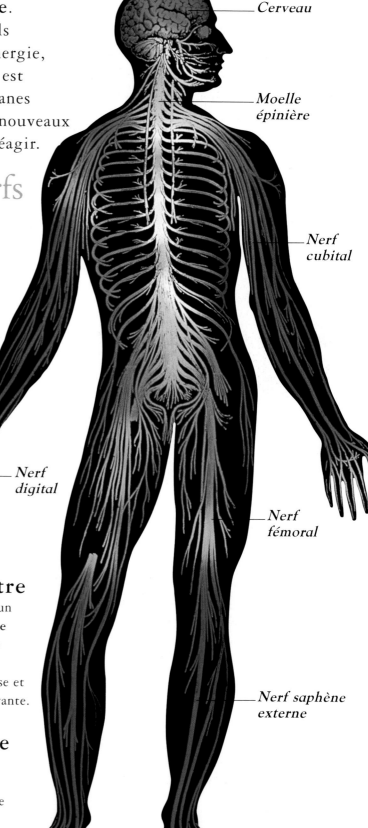

Cerveau

Moelle épinière

Nerf cubital

Nerf digital

Nerf fémoral

Nerf saphène externe

L'APPAREIL DIGESTIF

Tout ce que tu manges passe à travers ton appareil digestif – un long tuyau au parcours sinueux, qui occupe une grande place dans ton ventre. Les organes digestifs produisent des substances puissantes appelées **enzymes** : elles attaquent les grosses molécules alimentaires et les fragmentent en tout petits morceaux afin que ton corps puisse les **absorber**.

Un repas met 18 à 30 heures pour traverser ton corps.

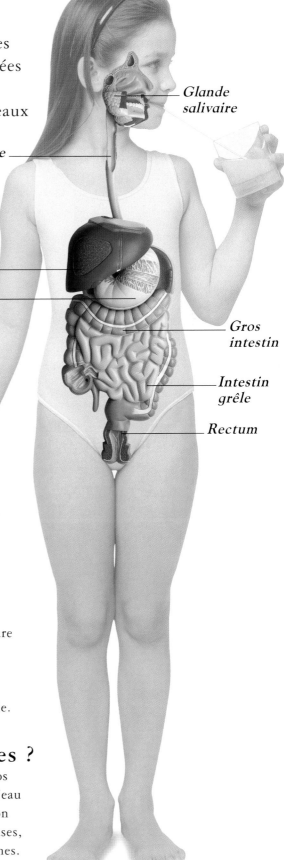

Glande salivaire

Œsophage

Foie

Estomac

Gros intestin

Intestin grêle

Rectum

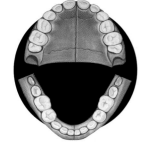

Les dents

Ce sont les parties les plus dures du corps. Elles broient les aliments et les mélangent avec la **salive**, qui contient des enzymes digestives. La plupart des adultes ont 32 dents.

L'estomac

Il se distend pour stocker les aliments, qu'il malaxe avec ses sucs acides et ses enzymes jusqu'à ce qu'ils deviennent crémeux. Un repas peut rester 4 heures dans l'estomac.

L'intestin grêle

C'est un long tuyau tout en boucles, qui sécrète des enzymes digestives. La nourriture digérée est absorbée à travers de petites aspérités, les **villosités**, qui tapissent la surface interne de l'intestin. Les aliments peuvent rester 6 heures dans l'intestin grêle.

Que deviennent les restes ?

Les restes non digérés finissent dans le gros intestin (côlon). Ce large tuyau récupère l'eau des restes et expulse les déchets hors de ton corps. Il abrite des bactéries non dangereuses, qui aident ton corps à absorber les vitamines.

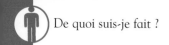

L'APPAREIL RESPIRATOIRE

Toutes les cellules du corps ont besoin d'**oxygène**. L'appareil respiratoire prélève l'oxygène dans l'air et le fait passer dans le sang. Les principaux organes de cet appareil sont les **poumons**, qui aspirent l'air chaque fois que tu respires. Ils fonctionnent comme d'énormes éponges, mais ils se gonflent d'air et non d'eau.

Tu inspires et tu expires 23 000 fois par jour.

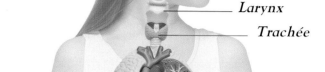

Larynx

Trachée

Poumon

Cœur

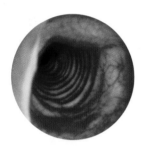

L'air inspiré

L'air descend dans les poumons à travers un tube appelé **trachée**. La trachée se divise en bronches de plus en plus petites, formant un dédale de voies aériennes dans les poumons.

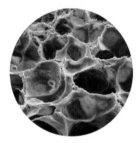

Les alvéoles

L'air termine sa course dans des poches nommées alvéoles. Le sang qui circule tout autour y prélève l'oxygène et se débarrasse d'un déchet, le gaz carbonique. Tes poumons possèdent au moins 600 millions d'alvéoles.

Un nettoyage permanent

L'air contient des poussières et des microbes que les poumons doivent éliminer. La toux et l'éternuement en rejettent une bonne partie. Les voies aériennes sécrètent un **mucus** visqueux qui piège les poussières. Le mucus remonte à la gorge et tu le craches.

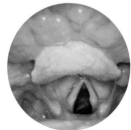

Émettre des sons

Ta voix naît dans le larynx, au sommet de la trachée. Quand tu expires l'air, il passe entre deux bandes de tissu, les **cordes vocales**. Leurs vibrations créent les sons. Plus les vibrations sont serrées, plus le son est aigu.

LA PEAU ET LES POILS

La peau protège le corps contre les saletés, les microbes, le froid et les agressions. Cette enveloppe résistante et imperméable est ton plus grand organe sensoriel (environ 2 mètres carrés) – elle est riche en nerfs qui perçoivent le toucher, la douleur et la chaleur. La couche externe de la peau (épiderme) se régénère sans cesse et se renouvelle entièrement en un mois.

Toute la surface de ton corps est faite de cellules mortes.

Saisir un objet

Les sillons présents sur le bout des doigts t'aident à saisir les objets. Les pores situés le long de ces sillons sécrètent de la sueur et une huile qui améliorent ta prise.

La desquamation

La surface de ta peau est faite de cellules desséchées et mortes qui tombent continuellement – tu en perds environ **10 milliards** par jour. Les acariens de la maison se nourrissent de ces fragments de peau cornée.

Poils et cheveux

Des cheveux tapissent le sommet de ta tête et des poils fins couvrent le reste de ton corps (tu as autant de poils qu'un chimpanzé !). Chaque poil possède un **petit muscle** qui le fait se dresser quand tu as froid.

Sueur et odeurs

La peau fabrique un quart de litre de sueur par jour, voire plus ! Il en existe deux sortes : la sueur eccrine (transpiration), qui te rafraîchit, et la sueur apocrine, qui donne une odeur corporelle. Les **glandes apocrines** deviennent plus actives à la puberté.

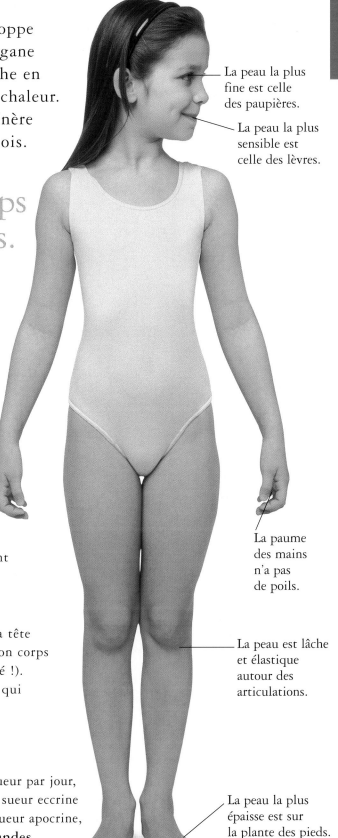

La peau la plus fine est celle des paupières.

La peau la plus sensible est celle des lèvres.

La paume des mains n'a pas de poils.

La peau est lâche et élastique autour des articulations.

La peau la plus épaisse est sur la plante des pieds.

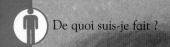

LA VUE

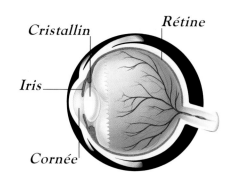

Cristallin — Rétine
Iris
Cornée

L'OUÏE

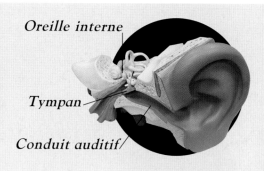

Oreille interne
Tympan
Conduit auditif

L'ODORAT

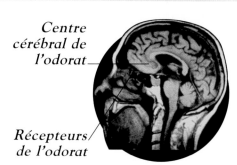

Centre cérébral de l'odorat
Récepteurs de l'odorat

LE GOÛT

Amer
Acide — Acide
Salé — Salé
Sucré

LE TOUCHER

Les cinq sens

LA VUE est notre sens majeur. Nous distinguons plus de couleurs et de détails que la plupart des animaux, mais nous voyons mal dans le noir. L'œil fonctionne un peu comme une caméra : la lumière traverse un orifice, la pupille, puis elle est concentrée par le cristallin sur la **rétine**, une membrane située au fond de l'œil ; les cellules de la rétine détectent les couleurs et envoient des signaux au cerveau, qui reconstruit l'image.

L'OUÏE est la capacité à percevoir des **vibrations** sonores. Le pavillon de l'oreille canalise les sons, qui passent du conduit auditif à l'oreille moyenne. Là, un petit tambour, appelé tympan, et une chaîne d'osselets transmettent les vibrations de l'air au liquide présent dans l'oreille interne. Des cellules nerveuses transforment alors les vibrations en signaux envoyés au cerveau.

L'ODORAT est la capacité à percevoir les molécules odorantes qui flottent dans l'air. C'est un sens plus important qu'on ne le pense. L'arôme des aliments dépend plus de l'odorat que du goût. On reconnaît en moyenne 4 000 odeurs, mais un nez entraîné peut en identifier 10 000. Les molécules odorantes sont détectées par des cellules nerveuses situées dans les narines. Quand un arôme se fixe sur un neurone, il déclenche le signal correspondant au type d'odeur.

LE GOÛT est la capacité à détecter des molécules simples dans la bouche. Quand tu mâches des aliments, des molécules se dissolvent dans ta salive et stimulent les bourgeons du goût situés sur ta langue. Le sucré, le salé, l'acide et l'amer sont perçus sur des zones différentes de la langue. Le glutamate (sel utilisé pour relever le goût des aliments) est considéré comme une cinquième saveur.

LE TOUCHER sollicite plusieurs types de récepteurs, qui perçoivent des sensations différentes : forte ou faible pression, mouvement des poils ou vibration. Ce sens est lié au mouvement : nous explorons les objets avec nos doigts, nos lèvres, notre langue. Rien qu'en touchant, nous pouvons reconnaître sans les voir des pièces de monnaie enfouies dans notre poche.

AS-TU UN SIXIÈME SENS ?

Le corps humain a bien plus que cinq sens. Voici quelques exemples de ce que tu peux sentir.

La gravité

Des capteurs de gravité, appelés **otolithes** et situés dans l'oreille interne, informent ton cerveau sur le haut et le bas, participant à ton équilibre.

Le mouvement

Ton oreille interne contient aussi des capteurs qui perçoivent le moindre mouvement. Si tu tournes sur toi-même, ils fonctionnent mal et tu as le vertige.

La chaleur

Sur la peau, des capteurs de température sentent le chaud et le froid. Les lèvres et la langue en sont les zones les plus riches du corps. Ils te disent qu'une boisson est trop chaude avant même que tu ne la touches.

La douleur

La sensation de douleur est déclenchée par un dommage causé à ton corps. Elle a pour fonction de te signaler le danger. Une démangeaison est à la fois un signe de douleur et une sensation du toucher.

La posture

Les muscles contiennent des **capteurs de tension** qui informent ton cerveau sur ce que fait chaque zone de ton corps, lui permettant de contrôler l'ensemble. Sans ces capteurs, tu ne pourrais pas rester debout, bouger ou saisir un objet.

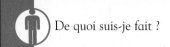

De quoi suis-je fait ?

Es-tu allergique à... ?

| POLLEN DE GRAMINÉES | POUSSIÈRE DE MAISON | ACARIENS | POILS DE CHAT | ARACHIDE | GLUTEN | DÉJECTIONS DE CAFARD |

QUESTIONS

Pourquoi est-ce que tu tousses ?

Si des microbes pénètrent dans ton nez ou ta bouche, ton corps va tenter de s'en débarrasser. La toux et l'éternuement les expulsent des voies aériennes. La diarrhée et le vomissement rejettent les germes hors de l'appareil digestif.

Pourquoi une plaie enfle-t-elle ?

Les globules blancs repèrent vite les microbes qui ont pénétré sous la peau. Ils libèrent une substance chimique, l'histamine, qui attire le sang. La zone devient alors rouge, enflée, chaude et douloureuse. Cette **inflammation** indique que le système immunitaire fait son travail.

Que font les anticorps ?

Un anticorps est une molécule qui identifie les microbes et se fixe sur eux. Des millions d'anticorps différents flottent dans les liquides du corps. Quand l'un d'eux rencontre un microbe dont les molécules de surface s'adaptent à sa forme, il s'agglutine à lui et demande aux globules blancs d'**attaquer** le microbe.

Le système IMMUNITAIRE

Tu peux observer ton **système immunitaire** à l'œuvre chaque fois que tu éternues, tousses ou vomis, quand quelque chose te démange, que tu t'es blessé et que la plaie enfle, lorsque tu as une indigestion, un rhume, de la diarrhée, une poussée de fièvre...

Ton système immunitaire chasse les microbes en permanence et fait tout pour les isoler, les détruire ou les expulser du corps. La douleur fait aussi partie de la réaction immunitaire : elle te signale qu'il **ne faut pas y mettre les mains !**

Ton *système immunitaire* est ce

| PIQÛRE D'INSECTES | MOISISSURES | FRUITS DE MER | ARBUSTES DIVERS | PÉNICILLINE | LATEX | ENZYMES DES LESSIVES |

Pourquoi es-tu allergique ?

Ton système immunitaire doit surveiller des milliers d'agresseurs, des virus jusqu'aux vers intestinaux. Avec un tel travail, il lui arrive de **commettre des erreurs**. Il attaque parfois des substances sans danger (les allergènes) comme s'il s'agissait de microbes, ce qui provoque des **allergies** ou de l'**asthme**. Tu risques plus d'allergies si tu grandis dans une maison très propre, où ton système immunitaire n'est pas entraîné à attaquer de vrais microbes.

Les symptômes d'une allergie dépendent du point de contact de l'allergène avec ton corps.

VOIES AÉRIENNES

Si tu es allergique à la poussière ou au pollen, tu éternues, tu tousses et tu as du mal à respirer.

TUBE DIGESTIF

Si tu es allergique à des aliments, ton appareil digestif réagit comme en présence de microbes et tente de les expulser par des vomissements ou de la diarrhée.

BOUCHE

Les allergies alimentaires peuvent picoter la bouche et faire gonfler les lèvres et la langue.

PEAU

Une éruption de boutons peut signifier que tu as touché quelque chose d'allergisant. Certaines éruptions allergiques ressemblent aux boutons provoqués par des piqûres d'ortie.

QUESTIONS

Peut-on s'autodétruire ?

S'il ne possédait pas une sorte de code-barres chimique, le système immunitaire pourrait s'attaquer aux cellules du corps lui-même. Ce code est un ensemble de protéines appelé **complexe majeur d'histocompatibilité (CMH)**, spécifique à chaque personne.

Quel est le lien avec la reproduction ?

Les bactéries se multiplient et évoluent très vite. Certaines parviennent à se faufiler à travers les défenses immunitaires en imitant notre code CMH. La reproduction sexuée permet de maîtriser ces germes en donnant à chacun un système CMH spécifique, qui nous protège en brouillant le code des combinaisons d'accès.

Quel rapport avec l'odorat ?

Des scientifiques pensent que nous choisissons d'instinct les partenaires qui donneront à nos enfants un CMH différencié et un solide système immunitaire. Ce choix passerait par la sécrétion d'odeurs appelées **phérormones**.

qu'il y a de plus spécifique en TOI

UNIQUE, moi, pourquoi ?

« Bien que nous soyons construits sur le même modèle, nous sommes tous différents. Des centaines de choses te singularisent, des traits de ton visage au son de ta voix en passant par ta personnalité ou tes goûts musicaux.

Pourquoi es-tu unique ?

D'abord par tes gènes :
il faudrait que tes parents fassent

1 000 000 000 000 000

de bébés pour espérer avoir un autre enfant possédant les mêmes gènes que toi.
Ensuite par tes expériences :
elles façonnent ta personnalité au fur et à mesure que tu grandis. »

TOI ET TOI SEUL

Imagine que quelqu'un te vole ta carte d'identité, subisse une opération esthétique pour te ressembler, puis qu'il **prétende être toi**. Y parviendrait-il ? NON, car il existe des moyens de

LES EMPREINTES DIGITALES

L'IRIS

L'IMMUNITÉ

SPIRALÉE   **COMPOSÉE**

Centre   Départ de crête

ARQUÉE   **BOUCLÉE**

Lac   Fourche

Le dessin de tes empreintes digitales est absolument unique. Même des **vrais jumeaux** ont des empreintes différentes. Les empreintes restent identiques toute la vie : si tu te blesses un doigt, les mêmes empreintes reviennent. Tes empreintes droite et gauche peuvent paraître comme deux images en miroir, mais regarde bien et tu verras qu'elles sont toutes spécifiques.

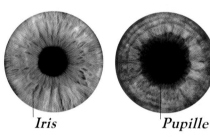

Iris   Pupille

L'iris (partie colorée des yeux) est aussi unique que les empreintes digitales. Chaque iris est un dessin complexe de bandes et de taches, qu'un scanner oculaire (ci-dessous) peut lire comme un code-barres. Néanmoins, les iris changent quand tu es malade, de même que tu peux cacher ton identité avec des lentilles colorées.

SCANNER OCULAIRE

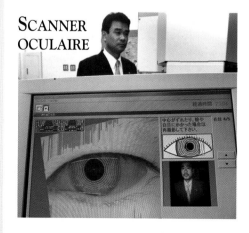

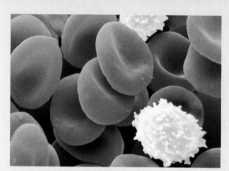

Tes globules blancs peuvent repérer tes cellules au milieu de cellules étrangères.

Ton système immunitaire distingue tes cellules des cellules étrangères. Si des bactéries (cellules étrangères) pénètrent dans ton corps, tes globules blancs les repèrent et les attaquent. Ce système marche si bien qu'en cas de greffe le corps peut **rejeter** l'organe greffé (on donne des médicaments pour éviter les rejets). Les transplantations fonctionnent mieux entre proches parents et, surtout, entre vrais jumeaux.

Comment prouver
que tu es réellement *TOI* ?

prouver que tu es vraiment TOI, car tu es biologiquement unique. Certains tests sont si efficaces que la police les utilise pour confondre les criminels à partir d'indices infimes laissés sur le lieu du crime.

L'ADN　LA VOIX　LA SIGNATURE

Un excellent moyen de prouver qui tu es consiste à établir une **empreinte génétique**. Cela se fait en fragmentant un échantillon d'ADN prélevé dans une de tes cellules et en le faisant passer sur une bande de gélatine pour obtenir son dessin spécifique. La police utilise l'ADN trouvé dans le sang, les cheveux ou d'autres tissus corporels recueillis sur le lieu du crime. Selon les experts, le risque d'avoir deux ADN identiques est de 1 sur 5 000 milliards de milliards.

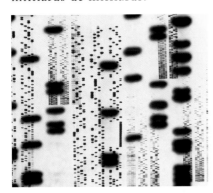

Un test ADN (ci-dessus) peut être réalisé pour une recherche de parenté ou le dépistage d'une maladie génétique.

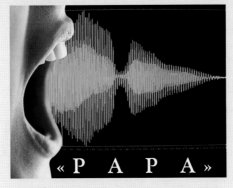

« P A P A »

Bien que ta voix change avec ton humeur ou avec l'âge, elle possède des **tonalités particulières**. Un analyseur vocal peut extraire et reconnaître ces tonalités, même si tu parles au téléphone. De grandes entreprises utilisent l'empreinte vocale pour vérifier l'identité de leurs employés.

Les analyseurs vocaux transforment une voix en série de fréquences sur un ordinateur.

Chacun possède une **écriture** propre et des experts appelés graphologues affirment pouvoir décrire la personnalité de n'importe quel individu à partir de son écriture. La signature est un moyen classique de prouver ton identité. Son tracé vif et rapide exagère ton style d'écriture au point de la rendre difficile à imiter. Mais ce n'est pas une preuve absolue, car elle n'est lue que par un œil humain.

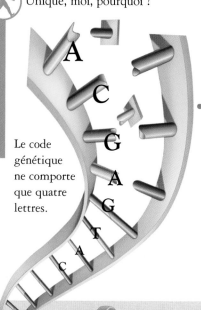

Le code génétique ne comporte que quatre lettres.

Qu'est-ce qu'un GÈNE ?

Un **gène** est une directive qui indique à ton corps comment fonctionner.

Cette directive est stockée sous forme de code dans une molécule d'ADN.

ADN
Acide désoxyribonucléique

CHROMOSOMES

Noyau

CELLULES

Tu partages 99 % de tes gènes avec le chimpanzé, 85 % avec la souris et 50 % avec la banane !

Un gène est à la fois...

- Un segment d'ADN • Un code pour fabriquer une protéine
- Une instruction indiquant sa fonction à une cellule
- Un contrôleur qui active ou inactive un autre gène
- Un élément hérité de tes parents, une part d'hérédité

L'ADN PORTE LES GÈNES. L'ADN est une molécule fine et longue, bâtie comme une échelle vrillée, dont chaque barreau constitue un code simple à quatre lettres : A, C, G, T (représentant quatre substances chimiques). Un gène est une portion d'ADN qui contient une **séquence particulière de lettres**, comme un paragraphe dans un livre. Dans la plupart des gènes, la séquence des lettres code la séquence des acides aminés qui composent une protéine spécifique. Les gènes portent le code de plusieurs milliers de protéines.

TCACCGTG
GTGGGCCTTGT
GGGTGCCTTCCGA
ATTCGAATTCCCTTG
TGGATGCCAATATAC
GCATATAGGCACAC
CGTGGTGGGCCT
TGTGGGTGCC
TTCCG

LES CHROMOSOMES PORTENT L'ADN. Ton ADN tient dans un tout petit espace, rangé suivant un procédé astucieux. Chaque brin d'ADN s'enroule sur lui-même pour former un filament, chaque filament s'enroule à nouveau pour former un cordon, et ainsi de suite (comme des fibres tressées pour faire une ficelle solide). Le résultat final est une structure trapue en forme de X, appelée **chromosome**. Les chromosomes ne sont pas visibles à l'œil nu (il faudrait en étaler 100 000 pour faire un point), mais chacun d'eux renferme un **ruban** de 2 mètres d'ADN.

LES CELLULES PORTENT LES CHROMOSOMES. Chaque cellule, à de rares exceptions près, contient 46 chromosomes réunis dans le noyau cellulaire. Ces 46 chromosomes renferment **l'ensemble de tes gènes** : il y a donc un jeu complet de gènes dans chacune de tes cellules. Cela fait une **quantité** énorme d'ADN ! Si tu déroulais et posais bout à bout tous les brins d'ADN de tes cellules, ils mesureraient **400 fois** l'aller-retour Terre-Soleil. Toutes les informations contenues dans tes gènes tiendraient pourtant sur **un seul CD**.

TON ADN COMPLET = TON GÉNOME. L'ADN contenu dans tes 46 chromosomes constitue ton **génome**. Il n'y a que 30 000 gènes actifs dans le génome humain – le reste de l'ADN n'a **pas de fonction connue**. Le génome humain est proche de celui des autres espèces vivantes, car tous les organismes vivants descendent d'ancêtres communs et parce que la plupart de nos gènes ne sont en réalité que des outils pour les fonctions des cellules. Des changements au sein des gènes ont suffi, au cours de l'évolution, pour créer de grandes différences entre les espèces.

D'où viennent tes GÈNES ?

Tes gènes viennent de tes parents, qui les tiennent de leurs parents, et ainsi de suite en remontant les générations. Les gènes se transmettent dans les familles et c'est certainement pourquoi tu ressembles à tes parents. L'hérédité explique que l'on retrouve des constantes physiques (**couleur des cheveux ou des yeux**, longueur des cils…) au sein d'une même famille.

La moitié de tes gènes vient de ta mère,
l'autre moitié de ton père.

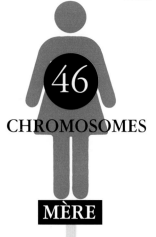

46 CHROMOSOMES

MÈRE

Les gènes sont transmis par les **chromosomes** contenus dans les spermatozoïdes et les ovules. Ces cellules sexuelles possèdent 23 chromosomes – la moitié du nombre habituel. Quand elles fusionnent, elles donnent un embryon doté d'un jeu complet de 46 chromosomes.

46 CHROMOSOMES

PÈRE

23 TE SONT TRANSMIS

46 CHROMOSOMES

TE SONT TRANSMIS **23**

TOI

Tu possèdes **deux jeux** de gènes : l'un issu de ta mère, l'autre de ton père. Ces deux **demi-génomes** te donnent un mélange de traits de tes parents – peut-être as-tu les cheveux de ta mère et les yeux de ton père, ou inversement.

Chaque enfant d'une fratrie est différent, car les gènes parentaux sont **brassés** au moment où ils se divisent pour former les spermatozoïdes et les ovules. Chaque enfant reçoit un assemblage unique de gènes, sauf les vrais jumeaux.

Ton *génome* est une **mosaïque** de gènes qui viennent tous de tes **grands-parents.**

Qu'est-ce qu'un gène dominant ?

Comme tu reçois deux jeux de gènes, il y a **deux options** pour chaque caractère. Pour la couleur des yeux, les gènes viennent de tes deux parents, mais l'un peut définir des yeux marron et l'autre des yeux bleus. Si une option prend toujours le pas sur l'autre, on l'appelle un gène dominant. Ainsi, le gène des yeux marron est habituellement dominant par rapport au gène des yeux bleus.

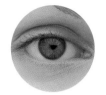  

Si un de tes parents a les yeux bleus…

… et l'autre des yeux marron…

… tu auras probablement les yeux marron.

Les gènes surpassés par les gènes dominants sont dits **récessifs**. Pour qu'un gène récessif s'exprime, tu dois en avoir deux exemplaires, donnés chacun par un de tes parents. **Mets ton pouce en l'air.** Si tu peux en amener le bout en arrière, tu possèdes une propriété transmise par deux gènes récessifs. De telles caractéristiques peuvent sauter une génération, passant des grands-parents aux petits-enfants sans apparaître chez les parents.

Pourquoi es-tu une fille ou un garçon ?

Deux de tes 46 chromosomes sont particuliers : ils déterminent le sexe. Ces **chromosomes sexuels** ont la forme des lettres **X** et **Y**. Si tu reçois deux X, tu deviens une fille. Si tu reçois un X et un Y, tu deviens un garçon. Chez les garçons, tous les gènes du chromosome Y ont un effet visible, qu'ils soient récessifs ou dominants, car ils ne sont pas contrecarrés par un autre Y. Cela rend les garçons plus vulnérables à certaines maladies génétiques.

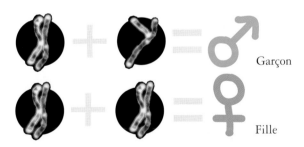

Garçon

Fille

Y A-T-IL UN GÈNE POUR TOUT ?

Certains gènes ont un effet unique et prévisible. Un seul gène peut te rendre daltonien ou te donner les cheveux roux, par exemple. Tu pourrais donc croire qu'il existe un gène pour chaque caractère, comme la forme de ton visage ou la longueur de tes jambes. C'est en vérité plus compliqué. Beaucoup et même la plupart de nos caractères impliquent un groupe de gènes agissant ensemble. Ta taille, la texture de ta peau, le son de ta voix, la couleur de tes cheveux et bien d'autres traits encore dépendent de la combinaison de plusieurs gènes.

C'est encore plus compliqué pour le cerveau. Les gènes déterminent en partie le fait que tu sois plutôt adroit, sociable, aventureux ou créatif. Mais ils ne font pas ta **personnalité**. D'autres facteurs entrent en ligne de compte, comme ta famille, ton éducation, tes amis, les choix que tu fais dans la vie ou tout simplement la chance.

Tu ne supportes pas le lait. Pourquoi ?

Si le lait te donne des maux d'estomac et des troubles digestifs, c'est probablement que tu souffres d'une intolérance au lactose (un composant du lait), dont la cause est un gène récessif. La plupart des Asiatiques et des Africains possèdent ce gène, plus rare en Europe. Les savants pensent que les Européens ont développé un gène différent quand ils ont commencé à élever le bétail et à boire du lait, il y a des milliers d'années.

Te RECONNAIS-tu ?

1

LA LANGUE QUI ROULE

Peux-tu rouler la langue en U ? (Ne triche pas en serrant les lèvres.)

2

LE DOIGT ARQUÉ

Si la dernière phalange de ton petit doigt penche vers l'auriculaire, tu as un « doigt arqué ».

3

LE NEZ AQUILIN

Un nez de forme convexe est appelé nez aquilin ou nez romain.

5

LE MENTON FENDU

La présence d'une fossette (petit creux) au menton est due à un gène dominant.

6

LA CHEVELURE EN POINTE

Cette implantation de cheveux dessine un V sur le front. (Tire tes cheveux en arrière pour faire le test.)

7

LES TACHES DE ROUSSEUR

Les taches de rousseur se voient mieux quand on est bronzé.

9

LES FOSSETTES

Une fossette peut apparaître sur les joues quand on sourit.

10

LE POUCE DE L'AUTO-STOPPEUR

Un gène récessif fait que certaines personnes peuvent retourner leur pouce de plus de 30 degrés en arrière.

11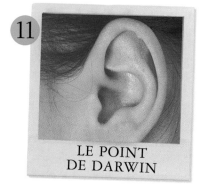

LE POINT DE DARWIN

Palpe le pavillon de ton oreille pour voir si tu as un monticule de peau : on l'appelle point de Darwin.

Amuse-toi à faire ce petit test. La plupart de ces caractéristiques sont dues à un seul gène dominant.

4

LE LOBE D'OREILLE QUI PEND

C'est un gène dominant qui fait que, chez certaines personnes, le lobe de l'oreille est détaché du visage.

8

LES DOIGTS POILUS

Si des poils poussent sur tes doigts ou tes orteils, tu possèdes le gène du « doigt poilu ».

12

L'APPLAUDISSEMENT

Quand tu applaudis, quel pouce se trouve au-dessus ? Cette façon de faire est en partie déterminée par tes gènes.

QU'EST-CE QUE CELA SIGNIFIE ?

Cela vient de tes parents.

Tous tes gènes viennent de tes parents, de sorte que chaque caractéristique induite par un gène dominant existe probablement aussi chez l'un d'eux. Si tu peux rouler ta langue, il y a des chances pour que ton père ou ta mère puisse également le faire. Et au moins un de tes grands-parents possède ce trait dominant.

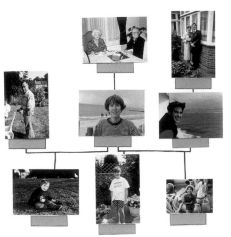

Remonte la piste.

Tu peux suivre le parcours des gènes dans ta famille en dessinant un arbre généalogique. Trouve des photos de tes proches et colle-les sur une grande feuille, en traçant des lignes pour montrer les liens de parenté. Interroge chaque personne sur les douze gènes de cette page et note les résultats sous les photos.

Es-tu daltonien ?

Si tu ne peux pas lire le nombre caché au milieu des pastilles colorées, c'est peut-être que tu es daltonien. Le daltonisme est dû à un gène récessif du chromosome X. Les filles qui héritent de ce gène ont en principe une vision normale, alors que les garçons ne voient pas toutes les couleurs. Interroge ta famille. Si toi ou un de tes frères êtes daltoniens, le gène vient certainement de votre mère.

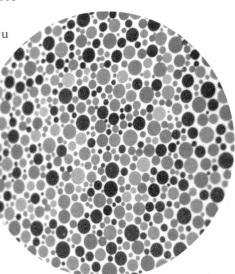

DOUBLE

Les JUMEAUX sont-

Comment se forment les jumeaux ?

Pour les vrais jumeaux, l'embryon s'est divisé et a donné deux bébés séparés. Les **jumeaux utérins** viennent de deux ovules fécondés par deux spermatozoïdes. Ils ont chacun leurs propres gènes, comme des frères et sœurs classiques – ils se développent simplement en même temps et partagent l'utérus maternel.

Imagine ce que serait la vie si tu existais en double. C'est un peu ce qui arrive aux vrais jumeaux, puisqu'ils ont tous deux les **mêmes gènes**. Ce phénomène est passionnant car il permet d'étudier le rôle des gènes et/ou de notre histoire dans notre personnalité.

Jim et Jim

Des vrais jumeaux élevés séparément développent souvent une étrange ressemblance. Jim Springer et Jim Lewis se sont rencontrés pour la première fois à 40 ans. Ils avaient tous deux un surpoids, une hypertension, les ongles rongés et des hémorroïdes. Ils allaient en vacances sur la même plage et possédaient tous deux un chien appelé Toy. Aimant la menuiserie, ils avaient chacun construit un banc blanc dans leur jardin.

L'ÉTUDE DES

Puisque les vrais jumeaux ont les mêmes gènes, ce qui les différencie est nécessairement dû à l'environnement dans lequel ils grandissent (ou au hasard). En étudiant les traits de personnalité de nombreux jumeaux, notamment des jumeaux adoptés et élevés dans des familles séparées, les scientifiques peuvent évaluer aujourd'hui l'impact des gènes sur le caractère. Autrement dit, l'étude des jumeaux nous aide à distinguer les effets de la **nature** de ceux propres à l'**éducation**.

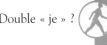

« JE » ?
ils PAREILS ?

À quel point êtes-vous identiques ?

Certains vrais jumeaux se ressemblent plus que d'autres. La plupart des vrais jumeaux partagent 100 % de leurs gènes, mais quelques-uns n'ont que 75 % en commun. On pense que ces **vrais-faux** jumeaux viennent d'un seul ovule qui se serait divisé **avant** d'être fécondé par deux spermatozoïdes distincts. Si l'œuf se divise juste **après** la fécondation, deux vrais jumeaux se développent, avec chacun leur placenta. Mais, si l'embryon se divise quatre ou cinq jours après la fécondation, les jumeaux partagent le même placenta et se développent **en miroir**. La division se produit parfois encore plus tard.

QUESTION

Des jumeaux en miroir, c'est quoi ?

Un quart des vrais jumeaux sont dits en miroir : sur de nombreux points, ils sont comme l'image inversée de l'autre. Leurs empreintes digitales et leur implantation de cheveux sont symétriques et ils peuvent avoir la même tache de naissance, mais sur les côtés opposés de leur corps.

JUMEAUX

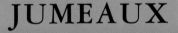

Les résultats

L'étude des jumeaux révèle que les gènes ont une grande influence sur :
- l'aspect physique ;
- les problèmes de vue ;
- la tendance à prendre du poids ;
- certains problèmes de santé ;
- les traits principaux de la personnalité (voir page 68) ;
- l'intensité des croyances (mais non les croyances elles-mêmes) ;
- l'espérance de vie ;
- le quotient intellectuel.

Mais les gènes ont moins d'influence sur :
- le fait d'être droitier ou gaucher ;
- les préférences alimentaires ;
- l'humour.

Des siamois, c'est quoi ?

Les siamois sont de vrais jumeaux qui ne sont pas complètement séparés et qui naissent attachés par une partie du corps. Ils sont parfois juste réunis par un bout de peau ou de muscle et il est facile pour le chirurgien de les séparer. Dans d'autres cas, ils partagent des organes vitaux comme les poumons ou une partie du cerveau : la séparation est alors délicate et dangereuse.

De la cellule au BÉBÉ

Tes gènes contrôlent le merveilleux processus qui transforme une seule cellule en un être de 100 000 milliards de cellules. Mais, dès le début aussi, ton **environnement** contribue à faire de toi un être unique. Son influence se poursuit tout au long de ta vie à mesure que ton cerveau apprend et évolue.

Comment tout a commencé ?

À quelle vitesse ai-je grandi ?

Quand mes yeux sont-ils apparus ?

Quand mes empreintes digitales se sont-elles formées ?

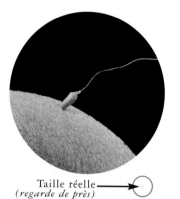

Taille réelle
(regarde de près)

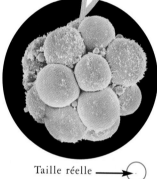

Taille réelle

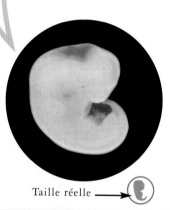

Taille réelle

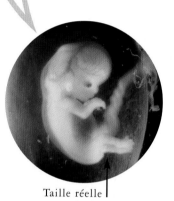

Taille réelle

1 JOUR

La première demi-heure, tu n'es qu'une cellule de moins de un dixième de millimètre. Cette cellule est un **œuf** formé par la fusion d'un spermatozoïde de ton père avec un ovule de ta mère. Les gènes qui viennent de chacun de tes parents se regroupent dans le noyau cellulaire pour composer un nouveau génome, le tien.

3 JOURS

Tu ne grandis pas beaucoup les premiers jours. L'œuf se divise en 2, 4, puis 8 cellules et ainsi de suite, doublant à chaque fois. À la fin de la première semaine, tu es formé de centaines de cellules ; ton corps commence à prendre forme les quinze jours suivants : tu es un **embryon**. À 3 semaines, tu as la taille d'un **grain de riz**.

4 SEMAINES

À 4 semaines, tu ressembles à une **crevette**, avec une sorte de queue. Ta tête grandit vite et elle occupe près de la moitié de ton corps. Les bourgeons des bras apparaissent et deux taches sombres marquent l'ébauche de tes yeux.

8 SEMAINES

À ce stade, tu ressembles à un humain, mais tu es en partie **transparent**. Tes yeux, ton nez, tes lèvres et même tes dents sont en formation, et ton cœur a commencé à battre. À 12 semaines, tu peux bouger les bras et les jambes, tes empreintes digitales sont formées, tu peux avaler et uriner. Ton cerveau fonctionne déjà.

À quel âge
ai-je sucé
mon pouce ?

Quand ai-je
commencé
à rêver ?

Quand ai-je ouvert
mes yeux ?

Quand ai-je
entendu pour la
première fois ?

Quand ai-je reconnu
la voix
de maman ?

Que savais-je
faire à ma
naissance ?

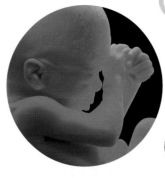

16 SEMAINES

Tu as maintenant la taille d'un **citron** et tu deviens beaucoup plus actif. Tu peux serrer les poings, sucer ton pouce, exprimer ton humeur sur ton visage et agripper le cordon ombilical qui te relie à ta mère. Tu commences à **entendre** tes premiers sons, mais tes yeux ne s'ouvrent pas encore.

20 SEMAINES

Tes mouvements commencent à être perceptibles, quand tu donnes des coups de pied et que tu te retournes, par exemple. Tu seras probablement aussi actif après ta naissance que maintenant. Tu entends bien : un coup sourd te fait sursauter. Ton sens du goût évolue et tu préfères déjà les saveurs sucrées. Ton corps est recouvert d'un **duvet** qui disparaîtra plus tard.

24 SEMAINES

Tes yeux s'ouvrent entre la 22e et la 24e semaine. Tu ne peux pas voir grand-chose dans l'obscurité du ventre, mais tu perçois la lumière du soleil comme une lueur rosée. Ton ouïe est maintenant si fine que tu peux reconnaître la **voix de ta mère**. Quand tu dors, tu passes le plus clair de ton temps à rêver.

LA NAISSANCE

Tu sais respirer, téter et avaler. Tu peux aussi pleurer, tousser, éternuer, cligner des yeux ; ton sens du goût et ton audition sont excellents, mais ta vue est encore faible. Bien que tu puisses distinguer les couleurs et les visages, tu ne les vois clairement que s'ils sont très près de tes yeux. Naturellement, tu ne connais pas encore tout ce que tu vois.

Comment ai-je appris
à parler ?

Quand ai-je
souri pour la
première fois ?

À quel âge
ai-je marché ?

À quel âge ai-je
commencé à montrer
ma personnalité ?

6 MOIS	1 AN	18 MOIS	2 ANS
À la naissance, ton cerveau pesait à peu près le quart de son poids adulte, et il a doublé en un semestre. Ta vision s'est améliorée et elle est presque parfaite à 6 mois. Tu es fasciné par les visages et tu réagis, depuis ta naissance, aux **sourires** ou aux froncements de sourcils de tes parents. Tu sais désormais reconnaître ton nom et te tenir assis.	Ton cerveau crée chaque jour des milliards de nouvelles connections au fur et à mesure qu'il apprend à contrôler ton corps et à comprendre le monde extérieur. Il grossit d'ailleurs plus vite que le reste de ton corps. Tu commences à marcher entre 12 et 18 mois, mais, au début, ton sens de l'équilibre est fragile.	Tu pratiques une forme de langage depuis ta naissance en **jouant avec les sons** que tu entends autour de toi. Vers 18 mois, tu comprends une centaine de mots et tu en prononces peut-être quelques-uns. Ta personnalité commence à s'exprimer. Tes parents sauront bientôt si tu es timide ou sociable, plutôt agité ou au contraire tranquille.	Tu apprends plus vite qu'à tout autre moment de ta vie. Tu peux dire environ 300 mots et faire des petites phrases, mais tu es parfois difficile à comprendre. Tu prends peu à peu conscience de ta personne : tu te reconnais sur une photo ou dans un miroir, tu commences à utiliser les mots « moi », « ma » et « mon ».

Quand ai-je commencé
à mémoriser
des faits ?

Quand ai-je
commencé à dire
des mensonges ?

Comment savoir
en quoi je suis
bon ?

Combien
de mots disais-je
à 3 ans ?

Comment ai-je
appris à lire ?

3 ANS

Tu apprends environ
10 nouveaux mots
par jour et tu connais
presque 1 500 mots
sur les 40 000 que tu
utiliseras dans la vie.
Ton cerveau commence
à enregistrer les
souvenirs que tu te
rappelleras plus tard.
Durant les mois à
venir, tu vas apprendre
à courir, à sauter pieds
joints ou à cloche-pied,
à attraper les balles
et à nouer tes lacets.

4 ANS

Ta **vie sociale** prend
de l'importance et
tu deviens attentif à ce
que pensent les autres
personnes (il t'arrive
même de **mentir** !). Tu
commences à percevoir
les autres enfants comme
des individus avec
lesquels tu peux jouer
en bonne entente : tu te
fais des amis. Mais tu as
beaucoup d'imagination
et tu peux aussi jouer
tout seul.

5 ANS

Ton cerveau a presque
sa taille adulte.
À l'école, tu as
commencé à apprendre
à identifier les lettres.
Tu possèdes un stock
de souvenirs, dont les
moments excitants
comme les vacances,
Noël et ton premier
jour de classe. Mais
tes souvenirs ne
remontent pas au-
delà de tes 3 ans.

6-10 ANS

Pendant cette période,
tu maîtrises des **activités
physiques** de plus
en plus fines, comme
le vélo, la natation,
le skate-board ou la
gymnastique. Tu deviens
aussi plus adroit avec
tes mains pour écrire,
dessiner ou pianoter sur
un clavier. Ta perception
de toi-même s'accroît.
Tu commences à te
comparer aux autres
et à être attentif aux
domaines où tu es bon.

Pourquoi suis-je maladroit ?

D'où viennent mes changements d'humeur ?

Pourquoi ai-je de si grands pieds ?

Comment sera ma silhouette ?

11-12 ANS

LES FILLES DE 13 À 17 ANS

Ces années annoncent le début de l'**adolescence**, période pendant laquelle tu vas peu à peu devenir un adulte. Le moment où tes organes sexuels commencent à fonctionner s'appelle la **puberté** : l'âge de sa survenue varie d'une personne à l'autre. L'adolescence est marquée par de profonds changements, non seulement dans ton corps mais aussi dans ton comportement.

Les hormones sexuelles féminines, les **œstrogènes**, sont sécrétées par les ovaires. Elles provoquent une poussée de croissance à partir de 11 ans. Pendant environ deux ans, tu vas te sentir plus grande et plus mûre que les garçons de ton âge. Après tes premières règles, tu ne grandiras plus que de 6 centimètres tout au plus. La puberté survient en général à 11-12 ans, parfois avant (dès 8 ans) ou après (au plus tard vers 16 ans). L'un des principaux facteurs qui déterminent l'âge de la puberté est le poids : les filles ont des règles quand leur poids atteint environ 45 kilos.

- Tes seins commencent à se développer.
- Tes bras et tes jambes s'allongent ; ton torse grandira plus tard.
- Tu as tes premières règles.
- Tes poils pubiens poussent et, deux ans après tes premières règles, ce sont les poils des aisselles.
- Tes hanches s'élargissent peu à peu jusqu'à 18-19 ans.
- Les variations hormonales cycliques expliquent en partie tes changements d'humeur.
- Tu passes moins de temps avec ta famille et plus avec tes amis.
- Tu te mélanges plus avec les garçons.
- Tu te sens souvent **gênée**.

Ai-je une **puberté** tardive ?

Pourquoi je me sens souvent **embarrassée** ?

Pourquoi ai-je des **boutons** ?

Vais-je continuer à **changer** dans les prochaines années ?

LES GARÇONS DE 13 À 17 ANS

18 ANS

L'hormone sexuelle mâle, la **testostérone**, est sécrétée par les testicules. Elle provoque une poussée de croissance autour de 13 ans (jusqu'à 12 centimètres de plus en une seule année). La croissance commence à la **périphérie** : tes pieds et tes mains, puis tes jambes et tes bras, enfin ton torse. Les os grandissent plus vite que les muscles, ce qui te donne parfois une allure dégingandée. Tu es parfois maladroit car ton cerveau doit réapprendre à équilibrer ton corps. La puberté débute quand tu fabriques du sperme, vers 13-14 ans en moyenne.

- Tes poils pubiens poussent.
- Tu commences à produire du sperme.
- La production de testostérone peut te donner de l'acné.
- Plus d'un garçon sur trois a une poitrine un peu bombée avant que sa sécrétion de testostérone n'augmente.
- Deux ans après l'apparition des poils pubiens, des poils poussent sur tes joues, tes jambes, tes bras et sous les aisselles.
- Ta poitrine et tes épaules s'élargissent.
- Ton visage change de forme et ta mâchoire devient plus carrée.
- Ton corps continue à se muscler jusqu'à 18-20 ans.

À la fin de la puberté, ton corps et ton cerveau arrêtent d'évoluer aussi rapidement. Tu deviens plus attentif à toi-même, plus indépendant et à l'aise en société. Ta personnalité évoluera encore au long de la vie selon ta carrière, tes relations et tes centres d'intérêt.

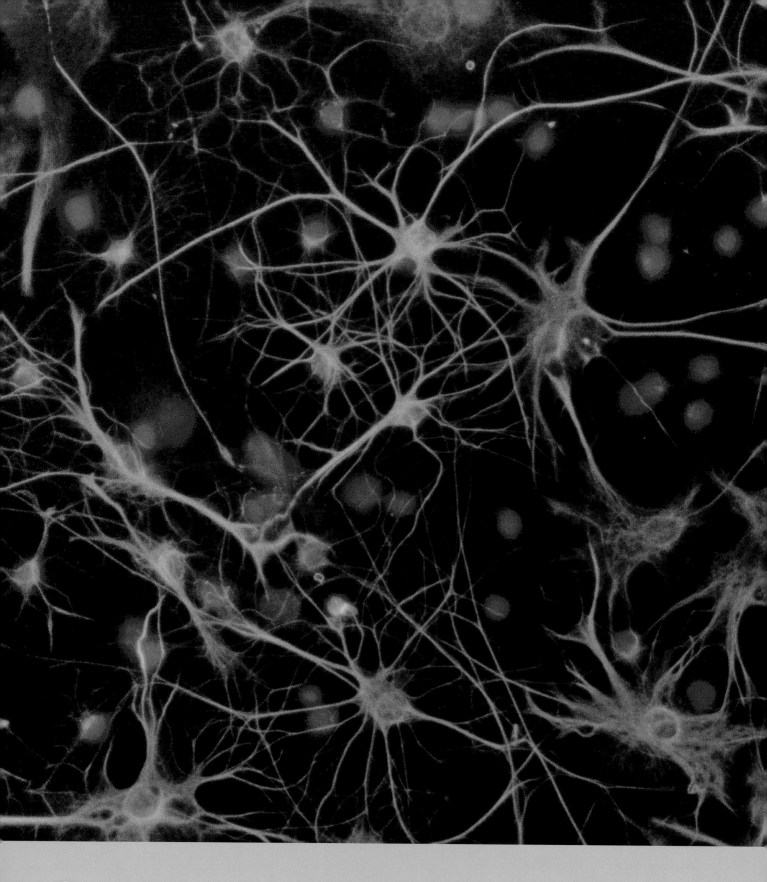

Comment marche mon **CERVEAU** ?

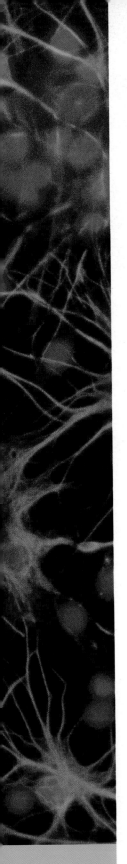

" Le cerveau est l'organe
qui fait de toi ce que
tu es réellement.

Toutes tes pensées et tes émotions, tous
tes souvenirs, comme tout ce que tu vois
et sens, se combinent dans cette masse
de tissus de la taille d'un chou.

Son fonctionnement exact reste
un mystère, mais son secret réside
dans la manière dont les 100 milliards
de neurones se connectent entre eux,
formant un réseau de circuits électriques
plus complexe que celui d'un ordinateur.
Qui plus est, ton cerveau n'est pas
statique : il ne cesse de se remodeler
et d'évoluer à mesure qu'il apprend. "

Il y a plus de circuits possibles dans

Le **lobe frontal** est considéré comme le siège de la pensée consciente, de l'organisation, de la volonté, mais d'autres zones cérébrales jouent aussi un rôle dans ces fonctions.

DE QUOI EST FAIT TON CERVEAU ?

LOBE FRONTAL

Ton cerveau est brun rosé, gros comme deux poings et d'une consistance gélatineuse. Sa surface plissée est divisée en **lobes**, dont on croyait que chacun avait une fonction bien précise, comme les organes du corps. C'est en partie vrai, mais les recherches ont montré que le cerveau peut répartir des tâches entre ses différents lobes et modifier son fonctionnement quand il est endommagé.

Deux cerveaux ?

Les deux moitiés de ton cerveau ont des propriétés et des capacités différentes, mais elles communiquent entre elles et tu as **besoin des deux** pour de nombreuses fonctions. Ainsi, si tu entends une plaisanterie, ta moitié gauche en perçoit le sens, mais c'est ta moitié droite qui en apprécie l'humour.

ton cerveau que d'atomes dans l'univers.

• • • • • • • • Le **lobe pariétal** gère le mouvement, décrypte les sensations et l'orientation dans l'espace.

• • • • • • • • Le **lobe occipital** a pour fonction majeure le traitement des informations envoyées par tes yeux.

Le cortex cérébral

La couche externe plissée du cerveau est appelée cortex. C'est là que naissent les **pensées**, surtout dans la partie frontale. Le reste du cortex traite les informations sensorielles, notamment visuelles et auditives. Le cortex est séparé en deux hémisphères, droit et gauche, divisés chacun en quatre lobes principaux.

Le cervelet

Le cervelet contribue à la coordination des **mouvements** et au maintien de l'équilibre. Comme le reste du cerveau, il participe à différentes tâches et n'est pas spécialisé dans une seule fonction. On sait depuis peu qu'il joue un rôle dans le langage, la vision, la lecture et l'organisation.

Le tronc cérébral

Situé tout en bas du cerveau, le tronc cérébral est **vital** pour la régulation de base des systèmes végétatifs. Il règle les battements du cœur et la respiration, il contrôle le sommeil et l'élimination des déchets.

LOBE PARIÉTAL

LOBE TEMPORAL

LOBE OCCIPITAL

CERVELET

TRONC CÉRÉBRAL

Le **lobe temporal** gère la compréhension de la parole, du langage et des sons, parmi d'autres fonctions.

Qu'y a-t-il au milieu ?

L'être humain a un cortex cérébral développé, ce qui rend son cerveau plus performant que celui de n'importe quel animal. Mais nous possédons aussi, enfoui sous le cortex, un cerveau primitif, ou **système limbique**, qui produit des émotions fondamentales, telles que la colère ou la peur, et des pulsions comme la faim ou la soif.

Système limbique

Es-tu maître de

QUESTIONS

Qu'est-ce que le subconscient ?

Pour le psychanalyste Sigmund Freud, une grande partie de nos actes sont contrôlés par des forces cachées dans notre cerveau, que l'on appelle le **subconscient**. Son travail s'effectue en coulisse et nous n'y prêtons habituellement pas attention. Ainsi, quand tu fais du vélo, ton subconscient prend en charge l'action de pédaler, la direction et l'équilibre, laissant ta conscience libre de penser à autre chose.

Ton monde est-il le même que le mien ?

Ta perception du monde est **strictement personnelle**. Une belle voiture de sport fera rêver certains, mais d'autres ne la remarqueront même pas. Nul ne pourra jamais éprouver tes pensées ou tes émotions. Chacun voit le monde à sa façon, construit son expérience à partir de sensations intimes.

D'ou viennent tes PENSÉES ?

Nous avons tous dans notre cerveau un sens du **moi**. Ce moi intérieur est ta vraie individualité, avec tes pensées, tes sentiments et ta vision du monde. Ton moi intérieur semble prendre toutes les décisions, mais le **contrôles-tu** entièrement ?

Si tes **yeux** étaient dans tes **orteils**, ton **esprit** serait-il dans tes **pieds** ?

Esprit, où es-tu ?

Aucune zone spécifique du cerveau ne crée le sentiment de conscience de soi : chacune y participe avec ses aptitudes particulières, de logique ou créativité, par exemple.

toutes tes PENSÉES ?

Pourquoi rêvasses-tu ?

Quand tu t'ennuies ou que tu ne te concentres pas, tu glisses rapidement vers ton monde intérieur et tu rêves éveillé.

Selon les psychologues, nous passons 8 heures par jour à rêvasser.

Comme les clignements de paupières, les rêveries surviennent sans que nous y prenions garde. On songe avec délice à ce que l'on ferait si on était riche et célèbre, on élabore des scénarios durant lesquels on **tombe amoureux** ou on devient un héros. Ces rêveries positives peuvent focaliser des ambitions et être motivantes. Les **songes négatifs**, comme les fantasmes de revanche, peuvent être sains s'ils nous aident à évacuer la pression.

La conscience, c'est quoi ?

La sensation d'attention que tu ressens quand tu es éveillé s'appelle la **conscience**. Elle englobe la connaissance de ta propre existence, de celle du monde extérieur et de ta place au sein de ce monde. Ton univers intérieur, où toi seul peux pénétrer, tes pensées, tes idées, tes émotions, tes rêveries et ton imagination, tout cela fait partie de ta conscience.

QUESTIONS

L'imagination, c'est quoi ?

Tes rêveries voguent sans contrôle, mais tu peux aussi centrer tes pensées et diriger les images dans ton esprit. C'est ce qui arrive quand tu utilises ton imagination. Par exemple, essaie de concevoir la maison de tes rêves. Tu peux le faire en imaginant que tu marches à travers les pièces.

Et la voix intérieure ?

Les pensées prennent parfois la forme d'une **voix intérieure** plutôt que d'images ou de sentiments. Quand tu butes sur un problème, il t'arrive de te parler à toi-même comme si tu pensais à haute voix. Te parler à toi-même ne veut pas dire que tu es fou, c'est juste un moyen de concentration.

Chacun sait s'il est **gaucher** ou **droitier** ; mais peux-tu dire quel est ton **pied** dominant, ton **œil** dominant ou ton **oreille** dominante ? En effet, le fonctionnement même de ton cerveau fait que les deux côtés de ton corps ne sont pas égaux.

DROITE *ou* GAUCHE ?

Quand tu claques des mains, croises les bras ou les jambes, tu le fais presque toujours de la même manière, en mettant au-dessus le même côté droit ou gauche. Cette asymétrie traduit celle de notre cerveau divisé. La moitié droite du cerveau contrôle la moitié gauche du corps et vice versa. Mais, pour de nombreuses tâches physiques ou mentales, l'un des côtés est dominant.

CHEZ LA PLUPART, LE CERVEAU GAUCHE...

- est dominant pour le langage (grammaire, écriture, orthographe) ;
- est le siège dominant de la pensée logique, du calcul ;
- perçoit mieux le rythme et la tonalité de la musique ;
- contrôle la moitié droite du corps ;
- traite le champ droit de la vision.

ET LE CERVEAU DROIT...

- se représente mieux l'espace ;
- perçoit mieux la mélodie de la musique ;
- comprend mieux les plaisanteries, l'ironie et les métaphores ;
- reconnaît mieux les objets par leur forme ;
- contrôle la moitié gauche du corps ;
- traite le champ gauche de la vision.

Quel est ton *côté dominant ?*

Test visuel

La plupart des gens ont un côté visuel dominant. Regarde de très près ces deux images. Y en a-t-il une où la fille semble plus heureuse ? Nombreux sont ceux qui désignent l'image du haut parce qu'elle sourit à gauche et que le champ visuel gauche est le plus souvent dominant.

Ton pied dominant

Tape dans un ballon pour voir si tu es plus à l'aise avec le pied gauche ou le droit. Une personne sur cinq préfère le gauche. Beaucoup de droitiers ont un pied gauche dominant.

Ton œil dominant

Dresse un doigt devant tes yeux et regarde au loin. Ferme un œil à la fois : ton doigt va bouger quand tu te sers de l'œil faible et rester en place avec ton œil dominant.

QUELLE EST TA MEILLEURE MAIN ?

Qu'ont en commun **Bill Clinton**, **Pablo Picasso** et **Henri Leconte** ? Ils sont gauchers, comme 10 % des habitants de la planète. On ne sait pas encore pourquoi on devient gaucher ou droitier. Les vrais jumeaux ont tendance à avoir la même préférence, mais il existe des différences qui montrent que les gènes n'expliquent pas tout. Seuls les jeunes enfants passent indifféremment d'une main à l'autre, jusqu'à l'âge de 2 à 5 ans, puis ils développent une préférence qu'ils garderont toute la vie. Curieusement, beaucoup de personnes ne sont pas complètement latéralisées : certains droitiers lancent mieux de la main gauche, par exemple.

Beaucoup de gens préfèrent mâcher sur le **côté droit** de la bouche.

TESTE TES MAINS

Les personnes qui peuvent utiliser les deux mains sont dites **ambidextres**. Prends un stylo feutre dans la main droite et compte combien de cercles blancs tu peux remplir en 15 secondes. Puis fais la même chose avec la main gauche. Reporte-toi à la page 96 pour l'interprétation des résultats.

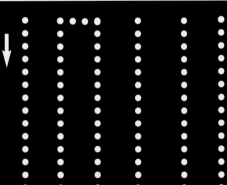

Départ main gauche

Départ main droite

REGARDE CES VISAGES PENDANT 30 SECONDES, PUIS VA

LA MÉMOIRE

QUESTIONS

Où sont stockés les souvenirs ?

Si aucune zone spécifique du cerveau n'est affectée au stockage des souvenirs, l'**hippocampe**, situé à la base du cerveau, joue un rôle clé dans la mémoire en transformant certains souvenirs à court terme en souvenirs à long terme. Quand l'hippocampe est lésé, les gens souffrent d'**amnésie** : ils ne peuvent enregistrer de nouveaux souvenirs ni se rappeler le passé.

Où étais-tu quand…

… les tours du World Trade Center se sont effondrées le 11 septembre 2001 ? Te souviens-tu avec qui tu étais et ce que tu faisais quand tu as entendu cette information ? Notre cerveau mémorise ce type d'événements **choquants** parce qu'une émotion forte rend le souvenir plus vif, plus précis et plus facile à se rappeler.

LES 4 TYPES DE MÉMOIRE

À COURT TERME

Ferme les yeux et essaie de réciter la dernière phrase que tu as lue. Tu utilises ta mémoire immédiate. Elle ne dure que **quelques secondes** ou minutes puis s'efface, mais elle est importante quand tu lis ou regardes un film.

À LONG TERME

Qu'as-tu reçu à Noël ? Tu utilises ici ta mémoire à long terme. Ces souvenirs peuvent durer toute la vie. Les **émotions** fortes – une joie ou un choc – impriment des souvenirs permanents dans ta mémoire à long terme.

ÉPISODIQUE

Qu'as-tu fait pendant les vacances ? La mémoire épisodique (ou biographique) est comme un journal où sont consignées toutes tes expériences, y compris ce que tu as vu et ressenti.

FACTUELLE

Quelle la plus haute montagne du monde ? Tu fais ici appel à ta mémoire factuelle, une forme de mémoire à long terme. C'est là que tu stockes ce que tu apprends à l'école. Tu dois **rafraîchir** tes souvenirs factuels, sinon ils s'estompent.

À LA PAGE SUIVANTE. VOIS-TU UN NOUVEAU VISAGE ?

Certains souvenirs s'effacent, d'autres restent imprimés dans ton cerveau. Tu ne te souviens probablement pas de tes trois premières années, mais ensuite ta mémoire a commencé à enregistrer des souvenirs. Chaque expérience laisse une empreinte quelque part dans ton cerveau, que tu te la rappelles ou non.

COMMENT AMÉLIORER TA MÉMOIRE ?

Pour mémoriser ton travail scolaire, prends des notes en lisant : cela t'oblige à te concentrer sur les points importants et facilite le processus de mémorisation. Relis tes notes un jour, une semaine, un mois plus tard. À chaque révision, tu constateras que tu te **souviens de mieux en mieux** de ton cours.

Les astuces

Les procédés mnémotechniques sont des phrases qui t'aident à mémoriser des notions à long terme. Par exemple, pour te rappeler plus facilement de l'ordre des planètes du système solaire, retiens la phrase suivante :

> « Mon Vieux Tonton M'a Joué Souvent Une Nocturne au Piano »

La première lettre de chaque mot est celle d'une planète, de la plus proche à la plus éloignée du Soleil : Mercure, Vénus, Terre, Mars, Jupiter, Saturne, Uranus, Neptune, Pluton.

Pour te souvenir d'une liste de chiffres, convertis chaque chiffre en une image mentale qui rime avec le numéro. Par exemple :

0 Zorro
1 Pain
2 Nœud
3 Croix
4 Quart
5 Lynx
6 Alix
7 Fête
8 Fuite
9 Œuf

Et tu peux en trouver d'autres…

Pour te souvenir d'une date, retiens les quatre mots en faisant une phrase : par exemple, « le pain et l'œuf à la fête d'Alix » pour 1976.

QUESTIONS

Je suis désolé, j'ai oublié !

Oublier est presque aussi important que se souvenir. Si ton cerveau n'oubliait pas, ta mémoire serait vite saturée de détails sans intérêt et tu ne pourrais plus penser correctement. Ton cerveau filtre donc les informations **intéressantes** ou **inhabituelles** et élimine le reste.

Y a-t-il une mémoire photographique ?

Certaines personnes réalisent des performances étonnantes, comme se souvenir après un coup d'œil d'un jeu de cartes étalé sur une table. La plupart d'entre elles n'ont pas de don spécial, mais elles possèdent des techniques mnémotechniques. Sauf exception, la mémoire photographique pure n'existe pas.

QUEL EST LE NOUVEAU VISAGE ? Ton cerveau a une capacité

Teste ta MÉMOIRE

FAIS CE TEST POUR ÉVALUER TA MÉMOIRE

1 **Ta mémoire des mots**
- Regarde ces douze mots pendant 30 secondes exactement.
- Ferme le livre, attends une minute et essaie de tous les écrire.
- Note tes résultats et reporte-toi à la page 96 pour les interpréter.

Conseil : visualiser les mots en les associant à des images peut t'aider.

> Papier Salade Tasse Carotte
>
> Vomissement Chaise Fleur
>
> Tapis Poussière Caillou
>
> Confiture Chameau

7 2 8 3 4 5

Les nombres sont plus difficiles à mémoriser

à reconnaître les visages et ce test devrait te sembler facile.

2 Ta mémoire visuelle

- Regarde les objets sur le plateau pendant 30 secondes exactement.
- Ferme le livre, attends une minute et essaie de tous les écrire.
- Reporte-toi à la page 96 pour l'interprétation de tes résultats.

Conseil : fais un croquis du plateau pour t'aider.

736

3 Ta mémoire des nombres

- Prends 15 secondes pour mémoriser le nombre à gauche.
- Ferme le livre, attends une minute et essaie de le retrouver par écrit.
- Regarde ton résultat et vois page 96.

Conseil : répète-toi ce nombre à haute voix.

que les **mots** ou les **images**.

QUESTIONS

À quel âge apprend-on le plus ?

On apprend mieux certaines choses à des **périodes** que l'on qualifie de **critiques**. Pour la vision, c'est la première année de la vie. Si les yeux d'un bébé ne fonctionnent pas bien à cette période, il peut avoir des problèmes de vue ensuite. La période critique pour apprendre à parler va jusqu'à 11-12 ans. Tu peux apprendre facilement une langue pendant cette période.

À quoi sert l'entraînement ?

Le patinage comme la conduite automobile exigent un apprentissage qui sollicite la partie du cerveau appelée cervelet. Au début, tu dois contrôler tes gestes. Tu utilises ton cortex cérébral pour bouger volontairement ton corps, ce qui demande de la concentration. Avec l'**entraînement**, ces mouvements se font quasi naturellement. Ton cervelet apprend à les gérer comme un pilote automatique.

Le cerveau peut-il ÉVOLUER ?

Ton cerveau est doué de **plasticité** : il évolue avec le temps en apprenant et en s'adaptant à ton environnement. Tu es né avec environ 100 milliards de neurones, mais les **connexions** entre ces cellules peuvent varier tout au long de la vie. Ton cerveau évolue en changeant les connexions et en se reprogrammant lui-même, créant sans cesse de nouveaux circuits.

La **structure physique** de ton cerveau se modifie au fil de tes rencontres, des endroits que tu visites, des choses que tu vois, des leçons que tu apprends et même des rêves que tu fais. Ton expérience de la vie laisse des marques dans le réseau complexe de tes connexions cérébrales.

Puisque personne n'a la même vie que toi, personne n'a le même cerveau que toi.

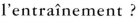

Ton **cerveau** devient *plus*

Quand tu apprends une leçon ou que tu t'inities à un sport, tu obliges ton cerveau à se reprogrammer lui-même. Chaque fois que tu t'entraînes ou que tu révises, tu rends ces nouveaux circuits un peu plus forts et performants.

Quand ton cerveau évolue-t-il le plus ?

Ton cerveau évolue toute la vie, mais il y a des périodes où sa vitesse d'évolution est plus rapide. Pendant les deux ou trois premières années, les neurones d'un bébé multiplient les connexions à une vitesse fulgurante. À partir de 3 ans, le cerveau commence à élaguer : il supprime les connexions inutiles et **élimine les neurones** dont il ne se sert pas. La période qui précède la puberté (11-12 ans) est également favorable aux apprentissages. Puis, durant l'adolescence, des connexions sont de nouveau supprimées.

Peux-tu entraîner ton cerveau ?

Le cerveau est un peu comme un **muscle**. Si tu exerces certaines parties, elles deviennent plus fortes. Les scientifiques ont ainsi observé que, chez les violonistes, la zone cérébrale dévolue au contrôle de la main gauche, celle qui presse les cordes, était plus étendue que chez les autres. De même, chez les personnes aveugles qui lisent le braille, une surface inhabituelle du cerveau est allouée au toucher.

QUESTIONS

Le sommeil aide-t-il à apprendre ?

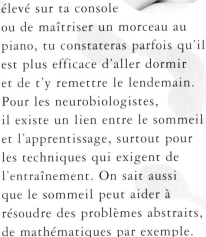

Si tu essaies de passer un niveau élevé sur ta console ou de maîtriser un morceau au piano, tu constateras parfois qu'il est plus efficace d'aller dormir et de t'y remettre le lendemain. Pour les neurobiologistes, il existe un lien entre le sommeil et l'apprentissage, surtout pour les techniques qui exigent de l'entraînement. On sait aussi que le sommeil peut aider à résoudre des problèmes abstraits, de mathématiques par exemple.

Se concentrer

Apprendre exige de l'**attention**. Le cerveau ne garde une information que s'il est attentif. Si tu es fatigué ou que tu t'ennuies, tu cesses très vite d'apprendre.

Le cerveau se répare-t-il lui-même ?

Les personnes dont le cerveau a été lésé par un accident vasculaire ou un traumatisme récupèrent parfois de **manière spectaculaire**. Une personne incapable de parler après un accident peut, quelques mois plus tard, s'exprimer à nouveau. C'est le résultat de la plasticité cérébrale. Si le centre du langage dans le lobe gauche est lésé, le côté droit peut apprendre à remplir la même fonction.

efficace si tu l'entraînes.

QUESTIONS

Es-tu UN GÉNIE ?

Qu'est-ce que le QI ?

Le test de QI (quotient intellectuel) est le moyen le plus connu pour évaluer l'intelligence. Il teste les aptitudes spatiales, verbales et numériques pour donner un score global. Mais, si ces tests peuvent fournir une indication sur ton potentiel scolaire, ils n'indiquent pas forcément comment tu réussiras dans la vie.

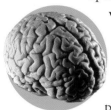

Le QI est-il héréditaire ?

Les études sur les vrais jumeaux font apparaître que, si les enfants sont élevés dans des milieux stables, les variations du QI sont plutôt le résultat de facteurs **génétiques**. Inversement, chez les enfants qui grandissent dans un milieu défavorisé, les variations du QI sont plus souvent liées à l'**environnement**. Cette contradiction apparente montre que le QI dépend **à la fois** des gènes et de l'éducation au sens large.

EN QUOI ES-TU FORT ?

L'intelligence recouvre des notions diverses : tu peux avoir la bosse des mathématiques, comme une plume d'écrivain. Les tests des pages suivantes te donneront une idée des domaines dans lesquels tu es le plus habile.

L'intelligence spatiale est la capacité à **se représenter mentalement** les formes et à les faire pivoter dans l'espace. Elle est utile pour lire des cartes ou comprendre la mécanique. En moyenne, les garçons ont un résultat supérieur aux filles dans ce domaine.

Ce test mesure l'aptitude à la lecture et à l'écriture. Les personnes qui ont une intelligence verbale élevée lisent et **comprennent rapidement** les textes, et elles s'expriment bien par écrit. En moyenne, les filles ont un résultat supérieur aux garçons dans ce domaine.

Il faut 10 000 HEURES de

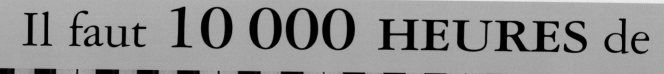

Être intelligent, est-ce connaître beaucoup de choses ?
Être capable de résoudre des problèmes logiques ?
Savoir créer des œuvres imaginaires ? Enfin, peut-on
devenir plus intelligent en travaillant ?

intelligence numérique

Une intelligence numérique élevée est
un signe de pensée logique, analytique.
Si tu es fort en maths, tu as sans doute
une bonne intelligence numérique.
Certains obtiennent un bon score
numérique et un mauvais résultat
au test d'intelligence verbale.

intelligence intuitive

L'intelligence intuitive s'appuie
sur l'**imagination** pour résoudre
des problèmes, parfois difficiles,
qui n'ont pas de solution logique.
Si tu es bon à cet exercice,
tu as probablement un esprit
très **créatif**.

quotient émotionnel

Si tu comprends bien ce que les autres
ressentent et pensent, tu as sans doute
un bon quotient émotionnel (QE).
Les personnes qui ont ce type
de qualité réussissent plutôt bien
dans la vie, même si elles ont
un score moyen aux tests de QI.

QUESTIONS

Peux-tu changer ton QI ?

Ton QI n'est pas figé. Il va
augmenter si tu stimules
ton esprit. Au Japon,
le QI moyen de
la population
a progressé de
douze points
dans les
cinquante dernières
années. Cette
évolution montre que
l'environnement et l'éducation
ont une influence sur le QI.

Le génie, c'est quoi ?

Un génie est quelqu'un
d'exceptionnellement doué dans
un domaine. **Albert Einstein** fut
peut-être le plus grand génie
scientifique de tous les temps.
Quand il est mort, des experts ont
étudié son cerveau à
la recherche d'une
particularité,
mais ils n'ont
rien trouvé de
spécial. Einstein
était un mauvais
élève. Mais il avait un intérêt
obsessionnel pour la science.
L'obsession ou la passion, qui naît
souvent dès l'enfance, est un trait
que tous les génies ont en commun.

piano pour devenir *musicien.*

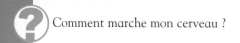

Test d'*intelligence spatiale*

Réalise ce test en t'accordant 20 minutes pour le terminer. Va à la page 96 pour vérifier tes réponses.

1 Si tu veux couper une pizza en 8 parts égales, combien de coupes dois-tu faire ?
a) 8
b) 2
c) 16
d) 6
e) 4

2 Combien d'arêtes possède un cube ?
a) 8
b) 12
c) 16
d) 6
e) 4

3 Quelle forme colorée correspond à la forme grise ?

a   b   c   d   e

4 Quel est l'intrus parmi ces figures ?

a   b   c   d   e

5 Quel est l'intrus parmi ces figures ?
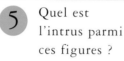
a   b   c   d   e

Test d'*intelligence verbale*

Réalise ce test en t'accordant 20 minutes pour le terminer. Va à la page 96 pour vérifier tes réponses.

1 Inde est à Asie ce que Italie est à :
a) Amérique
b) Afrique
c) Europe
d) pizza
e) Jupiter

2 Glace est à eau ce que solide est à :
a) gaz
b) glace
c) métal
d) liquide
e) vapeur

3 Mètre est à distance ce que kilogramme est à :
a) poids
b) gramme
c) livre
d) tonne
e) kilomètre

4 Géant est à miniature ce que allégresse est à :
a) bonheur
b) extase
c) ennui
d) tristesse
e) puce

5 Banane est à pomme ce que chou est à :
a) soupe
b) gâteau
c) cerise
d) boule
e) chou-fleur

6 Quel est l'intrus ?
a) manger
b) avoir
c) boîte
d) tenir
e) sourire

7 Quel est l'intrus ?
a) œil
b) orteil
c) cheville
d) langue
e) girafe

8 Quel est l'intrus ?
a) crier
b) chanter
c) parler
d) marcher
e) murmurer

6 Quel objet du bas complète la séquence du haut ?

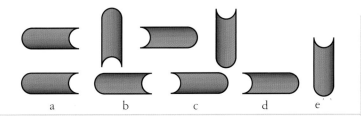

a   b   c   d   e

7 Quelle clé bleue ouvre la serrure rouge ?

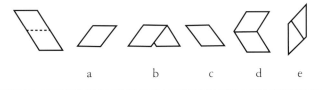

a   b   c   d   e

8 Quelle forme du bas complète la séquence du haut ?

est à   ce que   est à

a   b   c   d   e

9 Quelle figure est formée avec le papier plié suivant les pointillés ?

a   b   c   d   e

10 Quel tableau contient l'élément ci-dessous ?

 a

 b

 c

 d

 e

9 Quel est l'intrus ?

a) être d'accord
b) se quereller
c) contredire
d) argumenter
e) se brouiller

10 Quel est l'intrus ?

a) cheval
b) vache
c) kangourou
d) âne
e) chèvre

11 Quel est le synonyme de « construire » ?

a) plâtrer
b) dominer
c) murer
d) édifier
e) détruire

12 Quel est le synonyme de « divers » ?

a) identique
b) hivernal
c) varié
d) opposé
e) homogène

13 Quel est le synonyme de « essentiel » ?

a) supplémentaire
b) harmonieux
c) huileux
d) surnuméraire
e) vital

14 Quel est le synonyme de « pivoter » ?

a) tourner
b) encercler
c) inverser
d) retourner
e) contourner

15 Si certains chauves sont bavards et si certains bavards sont absents, alors certains chauves sont toujours absents. Cette phrase est :

a) vraie
b) fausse
c) parfois vraie
d) parfois fausse
e) rien de tout cela

16 Une personne cynique est quelqu'un qui connaît le prix de tout et la _____ de rien.

a) taille
b) valeur
c) signification
d) circonférence
e) composition

intelligence numérique

Test d'*intelligence numérique*

Ce test te permet de vérifier ton sens logique. Accorde-toi 30 minutes, puis vérifie tes réponses page 96. Attention, ne va pas trop vite : ce test est plus difficile que les autres et il contient quelques pièges.

1 Un fermier installe une clôture de 10 mètres de long en tirant des fils entre des poteaux en bois plantés tous les 2 mètres. Combien y a-t-il de poteaux ?
a) 10
b) 2
c) 4
d) 5
e) 6

2 La somme de tous les nombres de 1 à 7 est :
a) 8
b) 15
c) 22
d) 25
e) 28

3 Après demain sera deux jours avant mardi. Quel jour sommes-nous ?
a) vendredi
b) samedi
c) dimanche
d) lundi
e) mardi

4 Quel nombre complète la séquence suivante ?

1, 2, 3, 5, 8, 13 ...
a) 15
b) 17
c) 19
d) 21
e) 23

5 Si 2 cuisiniers pèlent 2 carottes en 1 minute, combien faut-il de cuisiniers pour peler 20 carottes en 10 minutes ?
a) 1
b) 2
c) 3
d) 4
e) 5

6 131521201514 est à mouton ce que 38522112 est à :
a) guépard
b) vache
c) hamster
d) antilope
e) cheval

intelligence intuitive

Test d'*intelligence intuitive*

Ce test fait appel à ton imagination. Les questions sont difficiles : n'hésite pas à demander de l'aide si tu bloques. Ne sois pas surpris si tu as beaucoup de mauvaises réponses… Vérifie page 96.

1 Je vis dans une petite maison sans porte ni fenêtres et, pour sortir, je dois casser les parois. Que suis-je ?

2 C'est le printemps. Tu vois une carotte et deux morceaux de charbon dans un jardin. Que font-ils là ?

3 Un homme gît, mort, à côté d'un gros sac à dos. Que s'est-il passé ?

4 Deux bébés de la même mère biologique sont nés le même jour du même mois de la même année dans le même hôpital. Pourquoi ne sont-ils pas jumeaux ?

7 Benjamin et Tom ramassent 30 escargots dans le jardin. Benjamin en trouve cinq fois plus que Tom. Combien en a trouvés Tom ?

a) 6
b) 8
c) 3
d) aucun
e) 5

8 Tu fais une course et tu dépasses celui qui était deuxième. Quelle est ta nouvelle place ?

a) dernier
b) 4ᵉ
c) 3ᵉ
d) 2ᵉ
e) 1ᵉʳ

9 Jeanne est plus grande que Camille, et Claire est plus petite que Jeanne. Quelle phrase est correcte ?

a) Claire est plus grande que Camille.
b) Claire est plus petite que Camille.
c) Claire a la même taille que Camille.
d) C'est impossible à dire.

10 Des canards marchent en file indienne. Deux canards en précèdent un, deux en suivent un, et il y a un canard au milieu. Combien y a-t-il de canards ?

a) 1
b) 5
c) 3
d) 7
e) 2

11 Quel nombre est la moitié d'un quart d'un dixième de 800 ?

a) 2
b) 5
c) 8
d) 10
e) 40

12 Le trajet en train de Paris à Angers est de 300 kilomètres. Un omnibus part de Angers à la même heure que le rapide qui part de Paris. Si le rapide va deux fois plus vite que l'omnibus, quelle distance aura parcourue l'omnibus quand ils se croiseront ?

a) 100 km
b) 150 km
c) 200 km
d) 133 km
e) 266 km

13 Nicolas a 4 ans et sa sœur Céline est trois fois plus âgée. Quel âge aura Céline quand Nicolas aura 12 ans ?

a) 16
b) 20
c) 24
d) 28
e) 36

14 Quel nombre complète la séquence suivante ?

144, 121, 100, 81, 64 ...

a) 55
b) 49
c) 36
d) 16
e) 9

15 Un scooter parcourt 23 kilomètres en 30 minutes. Quelle est sa vitesse ?

a) 23 km/h
b) 30 km/h
c) 46 km/h
d) 52 km/h
e) 60 km/h

5 Pourquoi les plaques d'égout sont-elles rondes plutôt que carrées ?
Indice : pense à la sécurité !

6 Un homme va à une soirée et boit un verre de punch. Il part tôt. Tous ceux qui sont restés à la soirée et ont bu du punch sont morts. Pourquoi cet homme n'est-il pas mort ?
Indice : c'est un problème de poison.

7 L'homme riche peut dire qu'il n'en a pas ; le pauvre en a ; tu meurs si tu t'en nourris. Qu'est-ce que c'est ?
Indice : la réponse tient en un mot.

8 Trois interrupteurs du sous-sol sont reliés à trois lampes dans une chambre de l'étage. Comment peux-tu savoir quel interrupteur est relié à quelle lampe en ne montant qu'une fois à l'étage ?
Indice : c'est un problème d'ampoules.

9 Un homme vit au dixième étage d'un immeuble. Chaque jour il descend au rez-de-chaussée par l'ascenseur pour aller travailler. Quand il revient, il va jusqu'au septième et monte le reste à pied, sauf quand il pleut. Pourquoi ?
Indice : il possède un parapluie.

Quelle **PERSONNE** suis-je ?

« Es-tu amateur de grands frissons
ou as-tu une peur bleue des araignées ?
Fais-tu tes devoirs à l'avance
ou t'y prends-tu au dernier moment ?

Aimes-tu sortir et rentrer tard ou préfères-tu
te coucher tôt pour te plonger dans un livre ?
Tous ces traits de caractère relèvent-ils
de ton éducation ou de tes gènes ?

Chacun a une personnalité unique,
avec une combinaison de points forts
et de faiblesses qui ne ressemble à aucune
autre. Plus que toute autre chose, c'est ta
personnalité qui fait de toi *TOI*. »

Teste ta
PERSONNALITÉ

1 Aimes-tu faire des choses un peu dangereuses ?

2 Si tu n'aimes pas quelqu'un, as-tu peur de lui dire ce que tu penses de lui ?

3 Aimes-tu avoir de longues conversations au téléphone ?

4 Te rappelles-tu facilement les anniversaires des gens ?

5 Préfères-tu te distraire avec une bande de copains ou avec un ou deux amis ?

6 Es-tu très sensible à la critique ?

7 Te lasses-tu facilement de tes loisirs et en essaies-tu toujours de nouveaux ?

8 Te réjouis-tu de parler à de nouvelles personnes et de faire leur connaissance ?

9 Fais-tu habituellement ton travail scolaire à temps ?

10 Te sens-tu touché par les personnes malheureuses ?

11 Sais-tu garder ton calme dans les moments difficiles ?

12 Si quelqu'un te fait de la peine, lui pardonnes-tu facilement ?

13 Dit-on de toi que tu es timide ?

14 Aimes-tu planifier tes week-ends ?

15 Ranges-tu régulièrement ta chambre ?

16 T'arrive-t-il souvent de te disputer avec les autres ?

COMPTE TES POINTS.

OUVERTURE D'ESPRIT Compte 2 points si tu as répondu « oui » aux questions 7, 17, 20, 24, 26 et « non » à la 14. Compte 1 point si tu n'es « pas sûr » aux questions 7, 14, 17, 20, 24, 26. Additionne tes points – 3 ou moins : faible. 4 à 8 : moyen. 9 et plus : fort.

SENS DES RESPONSABILITÉS Pour les questions 4, 9, 15, 19, 21, 29, compte 2 points pour « oui » et 1 point si tu n'es « pas sûr ». Additionne tes points – 3 ou moins : faible. 4 à 8 : moyen. 9 et plus : fort.

Ce test te permettra de mieux cerner ta personnalité. À chaque question, écris « oui », « non » ou « pas sûr ». Il n'y a pas de bonne ou de mauvaise réponse : essaie simplement d'être **le plus honnête possible**. Suis les instructions données en bas pour compter tes points, puis tourne la page pour en comprendre la signification.

17 Aimes-tu explorer des lieux mystérieux ?

18 As-tu peur de ce que les autres peuvent penser de toi ?

19 Proposes-tu régulièrement d'aider à faire la vaisselle ?

20 Te considères-tu un peu comme un rebelle ?

21 Fais-tu généralement les choses du mieux que tu peux ?

22 Aimerais-tu essayer le saut à l'élastique, le parachutisme ou le rafting ?

23 Te mets-tu souvent en colère pour des broutilles ?

24 Tes goûts pour la musique et la mode changent-ils souvent ?

25 Fais-tu facilement confiance à quelqu'un ?

26 Aimes-tu les activités créatives ou artistiques ?

27 Quand tu n'es pas d'accord avec quelqu'un, gardes-tu ton calme ?

28 Te décrirais-tu comme insouciant et détendu ?

29 Finis-tu généralement les livres que tu commences à lire ?

30 Es-tu facilement angoissé ?

N'oublie pas que tu peux répondre « pas sûr » si tu as un doute.

AMABILITÉ Pour les questions 2, 10, 12, 16, 25, 27, compte 2 points si tu as répondu « oui » et 1 point si tu n'es « pas sûr ». Additionne tes points – 3 ou moins : faible. 4 à 8 : moyen. 9 et plus : fort.

ÉMOTIVITÉ Compte 2 points si tu as répondu « oui » aux questions 6, 18, 23, 30 et « non » aux questions 11 et 28. Compte 1 point si tu n'es « pas sûr » pour les mêmes questions. Additionne tes points – 3 ou moins : faible. 4 à 8 : moyen. 9 et plus : fort.

TOURNE LA PAGE POUR EN SAVOIR PLUS…

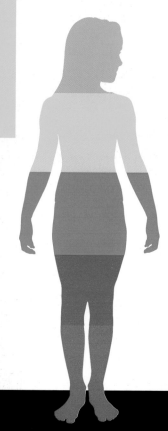

Quels sont tes traits de CARACTÈRE ?

On peut aimer les contacts ou être plutôt **solitaire**, s'emballer facilement ou rester **calme** et réfléchi, etc. Nous sentons intuitivement la personnalité des autres, sympathisant avec les uns, mais pas avec les autres. Peut-on étudier ce qui fait le caractère de chacun ? Pour ce faire, les psychologues envisagent la personnalité sous différents angles.

Tu dois avoir *un peu* de chacun

SENS DES RESPONSABILITÉS

Si ton résultat est élevé, tu es probablement raisonnable, fiable et **travailleur**. Les personnes rigoureuses et responsables s'efforcent de faire toujours de leur mieux, elles sont plutôt soignées et élégantes, mais aussi un peu tatillonnes. Si ton résultat est bas, tu es sûrement un tantinet désordonné et tu trouves que les devoirs et la vaisselle sont fastidieux.

EXTRAVERSION

Si ton résultat est élevé à ce test, tu es probablement sûr de toi, communicatif, avide de rencontres. Tu **recherches les frissons** et un certain danger. Si ton résultat est bas, tu as tendance à être introverti. Timides et prudentes, les personnes introverties préfèrent être avec un cercle d'amis proches plutôt que faire de nouvelles connaissances.

ÉMOTIVITÉ

Ce test mesure combien tu es **impressionnable** ou émotif. Une personnalité anxieuse est plus facilement émue, inquiète ou énervée que les autres. À l'opposé se trouve la personnalité calme et détendue, rarement dominée par l'émotion, mais qui peut paraître indifférente au reste du monde.

LE « BIG FIVE »

Le « Big Five » est un test très utilisé par les psychologues pour étudier la personnalité. Il divise la personnalité en cinq grands traits de caractère. Ces cinq traits sont indépendants, ce qui signifie que tes résultats dans un domaine n'ont pas d'influence sur les autres aspects.

Tu peux être très extraverti et par exemple, assez peu aimable.

Pour faire le test du « Big Five », tu dois te soumettre à des questions établies par un psychologue. Le test de la page précédente ne donne qu'une idée de ton profil : ne n'inquiète donc pas si les résultats semblent décevants.

La personnalité est-elle d'origine génétique ?

Les études faites sur les vrais jumeaux suggèrent qu'il existe une forte influence génétique sur la personnalité de chacun. Une étude a montré que les gènes expliqueraient 40 % des variations de résultats au test du « Big Five », contre 35 % pour le milieu environnant (les 25 % restants étant imputés aux imprécisions de ce type d'études).

de ces traits de caractère.

AMABILITÉ

Une personne aimable est facile à vivre. Si ton résultat est élevé, ton entourage te trouve probablement coopératif et de bonne composition. Si ton résultat est bas, tu es peut-être parfois trop franc ou trop direct. Rassure-toi : on devient généralement plus aimable en vieillissant.

OUVERTURE D'ESPRIT

Si tu as l'esprit ouvert, tu aimes les **expériences nouvelles** et le changement. Tu prends tes décisions sur un coup de tête plutôt qu'en réfléchissant et tu as tendance à effleurer les sujets plutôt qu'à t'adonner à une passion. Ceux qui ont un résultat bas aiment les habitudes et la famille, mais ils peuvent s'investir dans un loisir.

QUESTIONS

Peut-on changer ?

Si ta personnalité ne te plaît pas, n'aie crainte. Le caractère change au cours de la vie, même à l'âge adulte. À 20 ou 30 ans, tu seras sans doute plus souple et plus responsable. Les femmes ont tendance à devenir moins extraverties avec l'âge, tandis que ce trait de caractère reste plus stable chez l'homme.

Quel travail peut te convenir ?

Si tu es très timide, tu seras sans doute plus à l'aise dans un métier de bureau que dans un métier de contact. Comprendre ta personnalité peut t'aider à trouver le travail qui te conviendra le mieux. Mais souviens-toi que l'on peut changer : ainsi, de nombreuses personnes parviennent à surmonter leur timidité en vieillissant.

Le rang de naissance joue-t-il ?

Certains disent que ta position dans la famille a une grande influence sur ta personnalité. L'aîné serait plus sensible alors que le benjamin a la réputation d'être plus audacieux. Mais ces traits de caractère se voient surtout lorsque tu es **avec ta famille.** Quand tu sors avec des amis, ton comportement n'a rien à voir avec ton rang de naissance.

QUESTIONS

Pourquoi suis-je timide ?

Les introvertis se sentent souvent maladroits ou nerveux en société, et ils appréhendent de rencontrer de nouvelles personnes. Il n'y a rien d'anormal à être timide : c'est un **instinct** essentiel de défense. Tout le monde est intimidé de temps en temps, mais la plupart des personnes parviennent à le cacher et à paraître sûres d'elles quand elles vieillissent.

Es-tu entre les deux ?

On n'est jamais complètement introverti ou extraverti : on se situe quelque part entre les deux. Tu peux, par exemple, être intimidé en présence d'étrangers, mais confiant et sociable en famille ou avec des amis.

Combien d'amis doit-on avoir ?

Beaucoup s'inquiètent sur leur **nombre d'amis**, surtout à l'adolescence. Les extravertis semblent toujours entourés d'une foule de copains, alors que les introvertis passent leur temps avec un seul et unique ami. Il n'y a pas de réponse toute faite à cette question : tout dépend du plaisir que tu prends avec eux !

Une manière d'approcher ta personnalité est de savoir si tu es **introverti** *ou* **extraverti**. Consacres-tu ton attention au monde extérieur et aux individus ou es-tu plutôt

Introverti
ou

SI TU ES INTROVERTI, TU ES :

- calme et réservé ;
- sérieux et prudent ;
- sensible et réfléchi ;
- bien avec toi-même.

Les **introvertis** ont tendance à **réfléchir** avant de parler et d'agir, ils écoutent les autres. Ils sont timides et paisibles, ce qui fait parfois croire qu'ils se tiennent à **distance** ou sont inamicaux. Les introvertis réussissent bien dans les métiers qui exigent indépendance, raisonnement et analyse.

Les idées, les gens, l'aventure, les livres,

tourné vers des idées et des expériences personnelles ? Recherches-tu l'**agitation** et la compagnie ou préfères-tu rester seul, loin des foules ?

EXTRAVERTI

Sɪ ᴛᴜ ᴇꜱ ᴇxᴛʀᴀᴠᴇʀᴛɪ, ᴛᴜ ᴇꜱ :

- sociable et communicatif ;
- aventureux et amateur de risques ;
- sûr de toi et autoritaire ;
- rapidement lassé.

Les **extravertis** tirent leur énergie des autres. Souvent drôles, ils sont sûrs d'eux et **se font facilement des amis**. Cependant, ils peuvent parfois paraître tapageurs et superficiels. Ils réussissent bien dans les métiers de contact et peuvent faire de grands meneurs d'hommes.

QUESTIONS

Es-tu un joyeux drille ?

Les extravertis adorent sortir et rencontrer plein de gens nouveaux. Dans une **fête**, le meneur est plus souvent un extraverti qu'un introverti. Les extravertis discutent facilement et lient rapidement connaissance, ce qui peut les rendre sympathiques. Mais, comme les introvertis, ils n'ont généralement que quelques amis vraiment proches.

Es-tu amateur de frissons ?

Des psychologues pensent que les extravertis ont un gène qui les rend **moins sensibles** à la stimulation que les introvertis. Les introvertis sont si vite stimulés qu'ils se sentent stressés en société et évitent les contacts. Les extravertis, au contraire, cherchent l'excitation pour chasser l'ennui. Ils aiment les frissons que procurent les sports dangereux comme le parachutisme ou le saut à l'élastique.

LE TEST DU JUS DE CITRON

Pour savoir si tu es plus introverti qu'un ami, mettez quelques gouttes de **jus de citron** sur votre langue et recueillez votre **salive** dans deux verres. Les introvertis salivent plus que les extravertis, car ils sont plus sensibles à la stimulation.

les fêtes..................... *qu'aimes-tu ?*

QUESTIONS

Homme et femme ont-ils des cerveaux différents ?

Le cerveau masculin est légèrement plus gros, proportionnellement à la taille globale, mais le QI moyen est le même chez l'homme et chez la femme. Chez cette dernière, les connexions entre les deux hémisphères sont un peu plus épaisses, ce qui laisse supposer qu'elle les utiliserait plus facilement en même temps.

Quel est l'effet de la testostérone ?

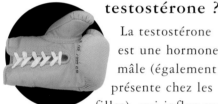

La testostérone est une hormone mâle (également présente chez les filles), qui influe sur le comportement et la personnalité. L'administration de testostérone à des animaux les rend **agressifs** et **combatifs**. La testostérone a le même effet chez les humains : les garçons sont souvent plus violents et férus de compétition.

Le test du doigt

Si ton niveau de testostérone fœtale (avant la naissance) était élevé, ton annulaire tend à être plus long que ton index et tu as probablement un cerveau de type masculin.

index   annulaire

FÉMININ ou

UN CERVEAU DE TYPE FÉMININ EST DOUÉ POUR :

- les techniques qui utilisent l'**hémisphère gauche** du cerveau (langage, lecture, écriture) ;
- comprendre les sentiments des autres ;
- sentir les mensonges ;
- percevoir le langage du corps ;
- analyser les très grandes images.

Tu es une fille douée dans des domaines masculins comme le montage d'un ordinateur ou un garçon qui a de bonnes aptitudes sociales.

Les cerveaux masculin et féminin n'ont pas les mêmes aptitudes. Les différences ne sont pas énormes et absolues, elles sont fondées sur des **moyennes**. En général, le cerveau féminin est mieux armé pour l'**empathie**, ou faculté à comprendre les autres ; le cerveau masculin est plus **pratique**, à même, par exemple, de saisir le fonctionnement des machines. Ces différences existeraient dès la naissance : elles ne sont pas seulement dues au fait que filles et garçons sont élevés différemment.

Un CERVEAU ÉQUILIBRÉ possède à *égalité*

MASCULIN ?

UN CERVEAU DE TYPE MASCULIN EST DOUÉ POUR :

- les techniques qui utilisent l'**hémisphère droit**, comme la géométrie ou la lecture de cartes et de plans ;
- comprendre les disciplines techniques ;
- mémoriser des listes d'événements ;
- analyser les petits détails.

Il n'est pas toujours bon de généraliser, car seul un petit nombre de personnes sont exactement dans la moyenne.

Le sexe est un peu comme un **spectre** de couleurs : à un bout, on trouve des éléments masculins typiques et, à l'autre, des éléments féminins typiques. L'endroit où tu te situes sur le spectre dépend de tes capacités. La majorité d'entre nous est quelque part au milieu, là où les aptitudes des deux genres **se chevauchent**. Tu peux être ouvert aux autres et doué pour le montage d'un meuble. Mais tu peux aussi être mauvais dans les deux et avoir d'autres capacités.

QUESTIONS

Es-tu un rassembleur ?

Si tu sais comprendre les gens et les mettre à l'aise, tu es un rassembleur. C'est une qualité plutôt féminine. Des savants pensent que l'évolution a donné aux femmes de plus grandes aptitudes sociales (en moyenne) parce qu'elles consacrent plus de temps à la famille et aux enfants.

La masculinité extrême

Selon certains chercheurs, les personnes présentant une **forme d'autisme** appelée syndrome d'Asperger auraient une forme exagérée de cerveau masculin, avec des aptitudes sociales très pauvres et un intérêt extrême pour certains domaines ou sujets inhabituels – elles mémorisent par exemple très bien les plaques minéralogiques ou les horaires de trains.

AZ 88545 9

Le test du vélo

Demande à un ami de dessiner de mémoire un vélo en 30 secondes. Les hommes tendent à dessiner un vélo exact (comme le bleu). Les femmes vont plutôt dessiner un vélo approximatif (le rose), mais elles y ajoutent parfois un cycliste.

les aptitudes MASCULINES et FÉMININES.

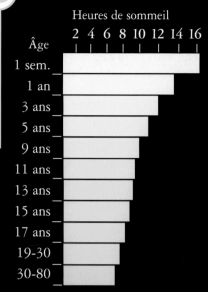

Heures de sommeil

Âge	2	4	6	8	10	12	14	16
1 sem.								
1 an								
3 ans								
5 ans								
9 ans								
11 ans								
13 ans								
15 ans								
17 ans								
19-30								
30-80								

Combien d'heures faut-il dormir ?

Comme le montre la courbe ci-dessus, le besoin de sommeil diminue avec l'âge. Les adolescents ont besoin de dormir environ deux heures de plus que les adultes et souffrent beaucoup des effets du manque de sommeil. Ne sois donc pas étonné si tu as du mal à sortir du lit le matin !

À quoi sert le sommeil ?

Nous passons environ le tiers de notre vie à dormir, mais les experts s'interrogent encore sur l'utilité du sommeil. Certains pensent que le sommeil permet au cerveau d'établir de nouvelles **connections** pour stocker les souvenirs et les aptitudes acquises dans la journée.

Combien de temps peut-on rester sans dormir ?

Les rats meurent plus vite de privation de sommeil que de faim et nous aussi probablement. Le record sous contrôle médical est de 11 jours, mais on a enregistré une durée de 18 jours lors d'un concours de rocking-chair – les participants ont peut-être sommeillé sans le savoir...

SI TU ES UNE CHOUETTE :

- tu dors après la sonnerie du réveil ;
- tu peux te coucher très tard ;
- tu adores la grasse matinée.

Es-*tu* une CHOUETTE ?

Si tu as du mal à sortir du lit le matin, cela ne veut pas dire que tu es paresseux – c'est peut-être inscrit dans tes gènes. Les gènes, comme l'âge, influent sur le besoin de sommeil.

Ton corps possède une sorte  d'horloge interne qui contrôle tes rythmes quotidiens. Elle lui indique à quel moment sécréter les **hormones** qui te mettent en éveil ou ralentissent ton activité. Certains ont une **horloge interne** si fiable qu'ils se réveillent chaque jour à la même heure.

L'horloge interne est, en moyenne, réglée sur 24 *heures* et **18 *minutes*.**

SI TU ES UNE ALOUETTE :

- tu sautes du lit tôt le matin ;
- tu n'aimes pas traîner le soir ;
- tu t'endors facilement.

OU une ALOUETTE ?

Le réglage de l'horloge interne varie d'une personne à l'autre et dépend en partie de nos **gènes**. Sans repères extérieurs, dans une grotte par exemple, la journée moyenne durerait 24 heures et 18 minutes. Si tu es un lève-tôt, plein d'énergie au début de la journée, tu es une **alouette**. Si tu es un couche-tard, tu es une **chouette** qui aime prolonger la soirée.

Peux-tu régler ton horloge interne ?

Quand tu voyages à travers le monde, ton horloge se détraque, ce qui te donne des troubles appelés **jet-lag**. Elle ne t'indique plus l'heure réelle et tu dois la rerégler. La lumière peut t'y aider. Quand elle pénètre dans tes yeux, elle déclenche un signal qui indique à ton cerveau qu'il fait jour. À l'inverse, l'obscurité indique à ton cerveau qu'il fait nuit et qu'il peut libérer les hormones qui te font dormir.

Es-tu en manque de sommeil ?

Tu devrais t'endormir en 10 à 15 minutes. Si tu mets moins de temps, tu es certainement en **manque de sommeil**, ce qui te rend plus fragile, te donne **mauvaise humeur** et ralentit ton travail. À l'école, il t'arrive de t'assoupir pendant les cours. Les conducteurs peuvent s'endormir au volant et provoquer des accidents.

TESTE-TOI

1 **Quand ton réveil sonne, que fais-tu ?**
a. Tu sautes du lit.
b. Tu l'éteins et tu te réveilles peu à peu.
c. Tu le mets en veilleuse.
d. Tu l'éteins et tu te rendors.

2 **À quelle heure te couches-tu le samedi ?**
a. 20-21 heures.
b. 21-22 heures.
c. 22-23 heures.
d. Après 23 heures.

3 **À quelle heure te lèves-tu le dimanche ?**
a. Avant 9 heures.
b. Entre 9 et 10 heures.
c. Entre 10 et 11 heures.
d. Après 11 heures.

4 **Comment manges-tu le matin ?**
a. De très bon appétit.
b. Légèrement.
c. Sans appétit, mais tu fais un effort.
d. Tu es écœuré à l'idée de manger.

5 **À quel moment te sens-tu le plus en forme ?**
a. Le matin.
b. L'après-midi.
c. En soirée.
d. Tard le soir.

6 **En combien de temps t'endors-tu après le coucher ?**
a. 10 minutes.
b. 10 à 20 minutes.
c. 20 à 30 minutes.
d. Plus de 30 minutes.

Vois page 96 pour les résultats.

75

QUESTIONS

Qu'est-ce qu'un cauchemar ?

La zone du cerveau qui gère les **émotions** est très active pendant les rêves. Si elle crée un sentiment de peur, le rêve devient un **cauchemar**. Tu penses que tu tombes de très haut, que tu es poursuivi par un fantôme... Le cauchemar est utile au développement du petit enfant, car il lui permet d'évacuer les peurs et de vivre des interdits. Il devient moins fréquent en grandissant.

Pourquoi ne sais-tu pas que tu rêves ?

Tu ignores que tu es en train de rêver, même s'il se passe des choses étranges. C'est parce que tu n'es pas en état d'**éveil conscient**. Les lobes frontaux de ton cerveau, centres de l'éveil conscient, sont hors circuit.

Les animaux rêvent-ils ?

Beaucoup d'animaux ont un sommeil paradoxal et rêvent sans doute. Curieusement, la durée de leur sommeil paradoxal dépend de leur degré d'immaturité à la naissance. L'**ornithorynque**, qui naît minuscule, semble rêver **8 heures** par jour. Les dauphins rêvent à peine et les oiseaux semblent rêver en chanson : ils respirent de la même façon en dormant et en chantant.

Pourquoi RÊVES-TU ?

Les rêves peuvent être **terrifiants**, bizarres ou fantastiques, mais à quoi servent-ils ? Malgré des décennies de recherche, les rêves restent l'une des plus grandes énigmes du cerveau.

Quand rêves-tu ?

Lorsque tu dors, ton cerveau continue à fonctionner par cycles, alternant des phases de **sommeil profond** et de **sommeil superficiel** toutes les 90 minutes. Les rêves surviennent pendant la phase de sommeil superficiel, quand tu es presque éveillé. Pendant ces périodes, **tes yeux bougent** sous tes paupières comme si tu regardais quelque chose. La phase du rêve est appelée sommeil paradoxal. Si tu réveilles quelqu'un pendant son sommeil paradoxal, il y a 80 % de chances qu'il se souvienne de son rêve.

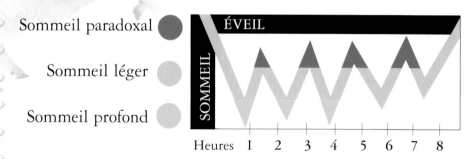

Sommeil paradoxal

Sommeil léger

Sommeil profond

ÉVEIL

SOMMEIL

Heures 1 2 3 4 5 6 7 8

Combien de temps rêves-tu ?

La plupart des gens ne perçoivent pas la durée de leurs rêves, pour deux raisons. D'abord, on ne se souvient pas de ses rêves, sauf si l'on est réveillé pendant leur déroulement. Ensuite, **les rêves déforment le temps** : si on te réveille en plein milieu d'un rêve, tu auras l'impression d'avoir rêvé pendant des heures. Les spécialistes du sommeil estiment que nous rêvons en moyenne cinq fois par nuit, pour une durée totale d'une à deux heures.

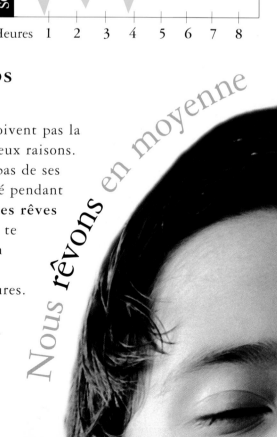

Nous rêvons en moyenne

Tu vas passer environ cinq ans de ta vie à rêver.

Les rêves ont-ils un but ?

Il existe beaucoup de théories sur les rêves, mais personne ne sait réellement pourquoi nous rêvons de telle ou telle chose. Pour certains, les rêves nous aideraient à mémoriser nos **souvenirs**, mais on peut ne jamais rêver et avoir une excellente mémoire. Pour d'autres, les rêves nous permettraient d'assimiler les expériences de la journée, mais les bébés rêvent déjà dans le ventre de leur mère. En outre, cela n'explique pas pourquoi ils sont si **étranges** !

Que signifient les rêves ?

Le psychanalyste **Sigmund Freud** voyait dans les rêves une fenêtre ouverte sur nos désirs cachés, **inconscients**. Il demandait à ses patients de lui raconter leurs rêves et essayait de les interpréter avec eux. Aujourd'hui, beaucoup de spécialistes pensent que Freud exagérait. Le contenu étrange de nos rêves ne serait que des histoires **sans signification** que notre cerveau élabore à partir de souvenirs, parce qu'il est actif mais privé d'informations sensorielles.

Est-ce que l'on bouge en rêvant ?

Quand tu rêves, ton corps est littéralement **paralysé**. C'est un mécanisme de sécurité qui t'empêche d'agir quand tu rêves. Ton cerveau envoie des messages à tes muscles, mais ta **moelle épinière** les bloque. Ces messages parviennent quand même à tes yeux, tes poumons et ton cœur : c'est pour cette raison que tes yeux bougent, que tes rythmes cardiaque et respiratoire deviennent irréguliers. Les personnes qui s'éveillent partiellement pendant un rêve se sentent comme terrassées, incapables de bouger et **complètement terrifiées**.

1 825 fois par an.

QUESTIONS

Le sursaut, c'est quoi ?

N'as-tu jamais rêvé que tu tombais pour te réveiller en sursaut juste après avoir touché le sol ? Cela se produit souvent au moment même où tu vas t'endormir : c'est une **hallucination hypnagogique**, due au réveil brutal de ton cerveau.

Le somnambulisme, c'est quoi ?

Un somnambule sort de son lit et se déplace pendant son sommeil. Contrairement à ce que l'on pourrait croire, il ne rêve pas, il n'agit pas en fonction d'un rêve. Le somnambulisme survient souvent à la fin d'une phase de **sommeil profond**. Les personnes se lèvent, marchent, peuvent même s'habiller, manger ou faire de la musique, mais elles ne gardent aucun souvenir de leurs actes, même si on les réveille brusquement.

L'agenda des rêves

Il est difficile de se rappeler ses rêves, mais, si tu les écris dès ton réveil, tes notes t'aideront à t'en souvenir plus tard. Quand tu écris ton rêve, essaie de répondre aux questions suivantes :

- **As-tu rêvé en couleurs ?**
- **Pouvais-tu entendre ?**
- **Pouvais-tu contrôler ton rêve ?**
- **Quelles étaient tes émotions ?**
- **Percevais-tu le temps qui passe ?**

Peux-tu contrôler tes ÉMOTIONS ?

PEUR

La peur fait relever les sourcils et soulève la paupière supérieure, découvrant le blanc des yeux au-dessus de l'iris. Simultanément, la paupière inférieure remonte. La bouche s'ouvre et les lèvres se retroussent.

COLÈRE

Les muscles tirent les sourcils vers le bas, provoquant des rides verticales au-dessus du nez. Les yeux mi-clos prennent une expression **furieuse**. La bouche reste fermée ou s'ouvre sur un grondement de rage qui découvre les dents. Le sang afflue au visage, qui devient rouge.

JOIE

Un sourire illumine le visage, bombant les joues et faisant apparaître des pattes d'oie au coin de l'œil et des poches sous les yeux. La bouche s'ouvre et la lèvre supérieure se retrousse, découvrant les dents du haut. Le sourire envoie au cerveau des **signaux** qui intensifient la joie.

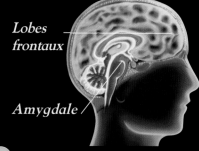

Lobes frontaux

Amygdale

Garde ton calme !

Les émotions fortes sont déclenchées par une zone du cerveau appelée **amygdale**, située dans le système limbique. Les **lobes frontaux**, en avant du cerveau, agissent comme des gendarmes, nous rendant capables de dissimuler nos émotions. Ces lobes n'atteignent pas leur maturité avant l'âge de 20 ans. Les enfants et les adolescents sont donc sujets à des **accès de colère** ou à des sautes d'humeur. Leurs amygdales génèrent des émotions intenses, mais leurs lobes frontaux ne sont pas encore assez efficaces pour les contrôler.

La manière dont nous exprimons nos **émotions** est **universelle** : un sourire a la même signification dans le Sahara et en Amazonie. Les psychologues distinguent six émotions primaires, qui correspondent chacune à une expression faciale caractéristique. Ces expressions faciales sont **programmées** dans notre cerveau par nos gènes.

Telles les couleurs primaires, les émotions se mélangent.

SURPRISE TRISTESSE DÉGOÛT

La surprise peut paraître proche de la peur, mais il y a des différences. Les paupières sont ouvertes et les yeux sont écarquillés, laissant voir tout le blanc de l'œil. La bouche est entrouverte. La surprise est difficile à dissimuler, alors qu'on peut masquer sa peur.

Les angles externes de la bouche pointent vers le bas et les angles internes des sourcils se soulèvent, créant au-dessus des yeux un espace triangulaire. Les yeux rougis se mouillent ou larmoient. Une personne triste cache souvent son visage pour ne pas montrer ces signes.

De grosses rides barrent la racine du nez et le front. Les yeux sont clos, les sourcils tombent et les joues sont bombées. La vue d'un visage qui exprime le dégoût peut déclencher le même sentiment chez celui qui le regarde.

L'agenda des sentiments

Tes émotions ne sont pas toujours précises : tu peux être énervé et réagir de manière excessive. Fais cet exercice pour apprendre à décrypter tes émotions.

- La prochaine fois que tu ressens une forte émotion, essaie d'en analyser la cause et les caractères. Écris tes conclusions dans un « agenda des sentiments ». Recommence à chaque émotion forte.
- Quelques jours plus tard, relis ce que tu as écrit. Tes sentiments étaient-ils justifiés ? Écris tes commentaires sur ton agenda.
- Deux ou trois semaines après, relis à nouveau ton agenda. Tes sentiments étaient-ils fondés ou as-tu réagi trop fort ? Certains sentiments étaient-ils plus justes que d'autres ? À l'avenir, demande-toi à quel point tu peux te fier à tes émotions.

Qu'est-ce qui te fait PEUR ?

Les **émotions puissantes** comme la **peur**, la colère, la surprise et le dégoût sont des **instincts** primitifs qui te protègent du danger et t'aident à survivre. Elles n'affectent pas seulement ton mental – elles préparent ton corps en déclenchant un état d'**éveil maximal**. Cela se produit à une telle vitesse que ton corps est en alerte rouge avant même que tu aies eu le temps de penser à ce qui arrive.

VOIR

RÉAGIR

SENTIR

PENSER

COMMENT LA PEUR AGIT SUR LE CORPS

Ton appareil digestif est mis en veille et vidé de son sang pour alimenter tes muscles, ce qui te noue l'estomac. L'adrénaline stimule aussi tes intestins. Chez les animaux sauvages, ce réflexe diminue le poids et aide l'animal à fuir.

Tes yeux grands ouverts semblent briller.

Le sang afflue dans tes muscles.

Ta fréquence respiratoire augmente : tu happes l'air.

Ton cœur bat à tout rompre dans ta poitrine afin d'envoyer plus d'oxygène vers les muscles.

LA PREMIÈRE SECONDE

La peur est l'émotion la plus forte. Les réactions de vigilance sont vitales, elles court-circuitent les voies normales du cerveau et surpassent la conscience. Voici ce qui se passe en quelques dixièmes de secondes quand tu as très peur.

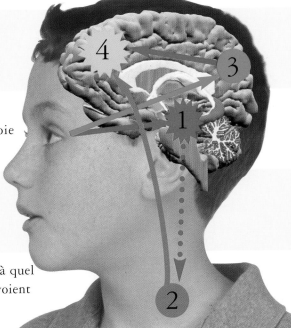

1 Un message passe de tes yeux ou de tes oreilles à ton **système limbique**, qui en fait une analyse rapide et envoie un signal de danger à tout le corps.

2 Ton corps est mis en alerte maximale par le système nerveux et une hormone, l'**adrénaline**. Ton corps renvoie des signaux aux **lobes frontaux** et tu ressens la peur.

3 Un signal plus lent part de tes yeux ou de tes oreilles vers ton **cortex sensitif**, qui analyse ce qui se passe vraiment et envoie un message à tes lobes frontaux.

4 Les lobes utilisent la **pensée** et la **mémoire** pour évaluer à quel point la menace est dangereuse. Si elle ne l'est pas, ils envoient des messages au système limbique pour calmer ton corps.

La peur a des effets immédiats et intenses sur tout le corps. Elle élève ton niveau d'éveil en stimulant le **système nerveux sympathique**. Celui-ci prépare ton cœur, tes poumons et tes muscles à l'action. L'**adrénaline** a les mêmes effets, mais elle reste dans le sang et te laisse tout secoué quand le danger est passé.

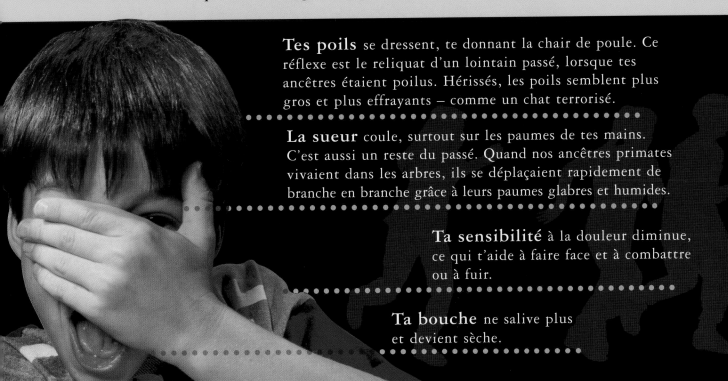

Tes poils se dressent, te donnant la chair de poule. Ce réflexe est le reliquat d'un lointain passé, lorsque tes ancêtres étaient poilus. Hérissés, les poils semblent plus gros et plus effrayants – comme un chat terrorisé.

La sueur coule, surtout sur les paumes de tes mains. C'est aussi un reste du passé. Quand nos ancêtres primates vivaient dans les arbres, ils se déplaçaient rapidement de branche en branche grâce à leurs paumes glabres et humides.

Ta sensibilité à la douleur diminue, ce qui t'aide à faire face et à combattre ou à fuir.

Ta bouche ne salive plus et devient sèche.

La phobie, c'est quoi ?

Une phobie est une peur panique déclenchée par un facteur précis, tels un serpent ou une araignée. Le corps est immédiatement mis en alerte par le **système limbique**, avec les symptômes caractéristiques de la peur : cœur qui bat vite, estomac noué, sentiment d'une mort prochaine.

Une phobie est comme un *système d'alarme* déclenché par un accident.

As-tu une

Pourquoi les serpents et les araignées ?

Les psychologues pensent que ces **animaux** venimeux ou agressifs représentaient un réel danger dans un passé lointain et que nous portons encore les gènes qui déclenchent la peur de les rencontrer.

Est-ce irrationnel ?

La panique échappe à la pensée consciente et peut être déclenchée par une chose que nous savons sans danger. Un phobique peut apprendre à maîtriser sa peur, mais la **réaction viscérale** initiale est difficile à éviter.

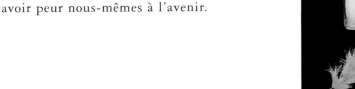

phobie ?

D'où viennent les phobies ?

Selon des études, 1 personne sur 10 aurait une phobie. Les vrais jumeaux ont souvent la même phobie, ce qui suggère que les gènes joueraient un rôle. Mais la plupart des phobies sont probablement acquises. Comme tous les enfants, nous apprenons ce qui est dangereux en **regardant les autres**. Si nous observons une réaction de terreur devant quelque chose, nous pouvons en avoir peur nous-mêmes à l'avenir.

As-tu...

... **peur des araignées, du sang ou des hauteurs ? La plupart des phobies concernent des animaux, des maladies ou des dangers.**

 Géphyrophobie : peur de passer sur un pont.

 Aérodromophobie : peur des avions.

 Musophobie : peur des souris.

 Myrmécophobie : peur des fourmis.

 Batracophobie : peur des crapauds, grenouilles, tritons.

 Acrophobie : peur des hauteurs.

 Amaxophobie : peur des voitures.

 Alektorophobie : peur des poules.

 Arachnophobie : peur des araignées.

 Ichtyophobie : peur des poissons.

 Ailourophobie : peur des chats.

 Hématophobie : peur du sang.

Certaines phobies ne sont en réalité que des aversions. Elles ne provoquent pas de panique.

 Pogonophobie : peur des barbes.

 Xanthophobie : peur du jaune.

 Chronométrophobie : peur des horloges.

 Blennophobie : peur des crachats.

 Blemmophobie : peur du regard des autres.

 Octophobie : peur du chiffre 8.

 Pantophobie : peur de tout.

 Arachiphobie : peur des cacahuètes.

 Toxicophobie : peur du poison.

 Phobie scolaire : peur d'aller à l'école.

 Ptéronophobie : peur d'être chatouillé par une plume.

 Géniophobie : peur des mentons.

REPÉRER UN MENTEUR

On ne ment pas seulement avec la voix, mais aussi avec des expressions et des gestes.

Le rougissement

Certains rougissent malgré eux quand ils mentent ou sont gênés d'être pris en flagrant délit de mensonge.

Les expressions fugitives

Un bon menteur peut simuler la joie ou la tristesse, mais, si tu regardes bien, tu pourras voir des expressions fugitives, ne durant que quelques dixièmes de seconde.

Les expressions réprimées

Les menteurs sont parfois surpris à essayer de **réprimer** une expression, un sourire en coin par exemple.

Les muscles sincères

Certains muscles du visage sont plus sincères que d'autres, notamment autour des **sourcils**. Un menteur peut te sourire, mais un sourcil se soulève légèrement si la situation est inconfortable.

Se toucher le visage

Les jeunes enfants cachent souvent leur bouche quand ils mentent. Les adolescents et les adultes usent de gestes plus subtils (se toucher le nez, se gratter la lèvre...).

Peux-tu lire sur les VISAGES ?

La tête
Un léger hochement de la tête peut être un signe d'**intérêt**, alors qu'une tête posée sur une main suggère l'ennui. Détourner la tête peut traduire une réaction de rejet, mais c'est aussi un signe de concentration. Si quelqu'un penche légèrement la tête en arrière, cela peut signifier qu'il se sent **supérieur**.

Les yeux
Ils en disent long. Une personne excitée a les pupilles dilatées. Le blanc des yeux découvert au-dessus de l'iris est un signe de peur ou d'étonnement. Lever les yeux en exposant la partie basse du blanc est un signe de **mépris**, souvent exprimé dans le dos de quelqu'un.

Pupille normale   *Pupille dilatée*   *Conjonctive découverte*   *Yeux levés au ciel*

La bouche
Ses mouvements indiquent de nombreuses expressions, dont la désapprobation et le sourire, mais elle exprime aussi des sentiments cachés. Des lèvres serrées montrent une **colère rentrée**, un bâillement traduit autant une peur ou un énervement que de la fatigue. Sucer un crayon ou ronger ses ongles peut être signe de tension et un sourire en coin dénote un manque d'intérêt.

Sourire   *Lèvres serrées*   *Bâillement*   *Ongles rongés*

Les psychologues considèrent que notre visage peut présenter quelque 7 000 expressions différentes et qu'elles peuvent changer très vite, souvent à notre insu. Nos aptitudes sociales dépendent en partie de notre capacité à lire sur les visages et en décoder les sentiments ou les pensées intimes, surtout quand les gens trichent ou cachent quelque chose.

Le regard
C'est la clé d'une bonne communication. Un regard prolongé peut être un signe d'agression ou d'**attirance**, un regard fuyant traduit la malhonnêteté, la timidité ou l'aversion. Dans la plupart des conversations, le regard est un moyen d'échanges. Les **amoureux** se regardent longuement les yeux dans les yeux.

Les sourcils
Ils sont la zone la plus sincère du visage. Regarde bien : de petits plis apparaissent spontanément quand quelqu'un est embêté ou mal à l'aise.

Les paupières
Un clignement rapide indique une tension ou une fascination, alors que le clignement disparaît en cas de mensonge ou de colère. Une série de battements de cils est un signe de nervosité.

Sourcil levé   *Front froncé*   *Clignement d'œil*

Le nez
Ses mouvements sont surtout liés à des émotions négatives. Le nez et le front se plissent en cas de dégoût. Un froncement discret indique l'aversion et une saccade des ailes du nez, un désagrément. Des narines dilatées signifient un intérêt pour l'interlocuteur.

Saccade des ailes du nez   *Nez un peu plissé*   *Nez très plissé*   *Narines dilatées*

REPÉRER UN FAUX SOURIRE

L'astuce pour repérer un faux sourire est de regarder les yeux.

- Un vrai sourire s'étend à tout le visage, bombant les joues et plissant les yeux. Des pattes d'oie se forment de chaque côté, une poche apparaît sous les yeux et les sourcils sont abaissés.

- Dans un faux sourire, la bouche sourit, mais les yeux restent **froids et neutres**.

- Le faux sourire est souvent à contretemps. Il apparaît trop vite et **se termine brusquement**. Il peut aussi être trop long (sourire figé) ou trop court.

- Les vrais sourires tendent à être symétriques, alors que les faux sourires sont souvent en coin et crispés.

PEUX-TU DÉCODER CES SOURIRES ?

Tu trouveras les réponses page 96.

Le LANGAGE du CORPS

Les gens pénètrent notre **zone sociale** dans les endroits publics, rues ou boutiques.

La **zone personnelle** est celle des conversations courtoises.

L'espace personnel

Le degré de proximité physique que nous autorisons aux autres dépend du type de relation, mais aussi de ta personnalité et du milieu dans lequel tu as grandi. Les étrangers ne dépassent pas les zones sociale et personnelle, alors que les amis et la famille peuvent évoluer dans les sphères intimes.

Se tenir face à face mais le corps tourné peut être un signe de conflit.

4 Zone sociale

3 Zone personnelle

Zone très intime **1** **2** Zone intime

La **zone très intime** est celle des contacts physiques.

Les mots et les expressions du visage ne sont pas nos seuls **moyens de communication** : nous utilisons aussi notre corps. Certains gestes sont volontaires, mais l'essentiel du langage corporel est **involontaire**

Une position détendue et **ouverte** exprime la confiance et parfois l'arrogance.

Ce geste d'**agripper** avec la main montre que l'on veut convaincre.

Cacher les mains et regarder en bas est un signe de soumission.

Ces filles s'imitent l'une l'autre sans le savoir.

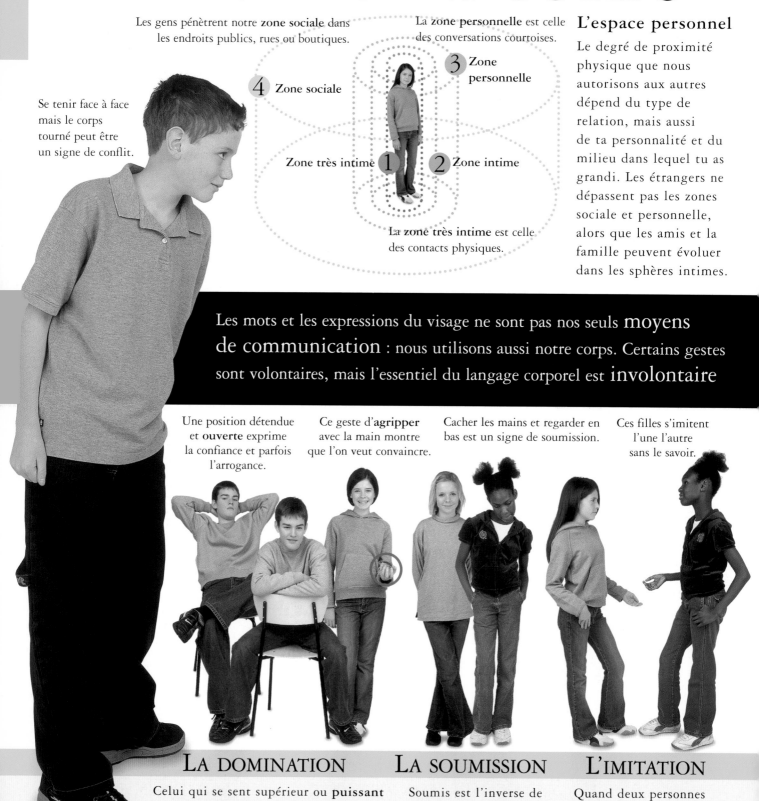

LA DOMINATION

Celui qui se sent supérieur ou **puissant** le montre avec une position détendue. On peut aussi « se relâcher » entre proches, mais le faire avec des étrangers passe pour choquant.

LA SOUMISSION

Soumis est l'inverse de puissant. Une personne soumise se tient debout ou s'assied droite, les mains dans le dos.

L'IMITATION

Quand deux personnes s'entendent très bien, elles imitent souvent sans le savoir le langage corporel de l'autre.

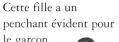

En se tenant face à face, ces deux personnes excluent la troisième.

En se tournant l'une vers l'autre, ces deux filles rapprochent leurs pieds. Le garçon se sent de trop.

Cette fille a un penchant évident pour le garçon.

Agression

Ces garçons sont prêts à se battre : ils **se mettent en garde**, les visages face à face, les corps un peu tournés. Le regard est noir, les yeux ne cillent pas.

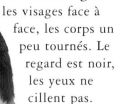

SIGNIFIER AVEC LE CORPS

Dans une situation sociale comme une réception, la position de ton corps est importante. Deux personnes peuvent indiquer à une troisième qu'elle n'est **pas bienvenue** en se tournant l'une vers l'autre. Même si elles tournent la tête de temps en temps pour être polies, la troisième se sent exclue et gênée. On peut aussi tourner inconsciemment une partie du corps vers quelqu'un ou quelque chose auxquels on pense en secret.

et nous le décodons **inconsciemment** : tu peux ainsi sentir que quelqu'un près de toi t'aime ou ne t'aime pas. Le langage du corps émet des **signaux** et peut dévoiler tes sentiments secrets.

Frotter un œil — Bouger les jambes ou les mains — Se tirer l'oreille — Chevilles croisées et mains serrées — Jambes et bras repliés

LA MALHONNÊTETÉ

On se sent souvent mal à l'aise quand on ment, aussi gigote-t-on et se touche-t-on beaucoup. Les menteurs se touchent le visage, s'agitent sur leur chaise ou secouent le pied sans arrêt.

LA DÉFENSIVE

Les personnes anxieuses ou sur la défensive adoptent des positions **fermées**. Les chevilles croisées peuvent signaler des sentiments cachés négatifs. L'**échassier** est une position assez féminine, qui révèle une attitude défensive.

QUESTIONS

Comment apprend-on à parler ?

Les bébés captent **instinctivement** la langue avant de l'apprendre. Ils écoutent attentivement les voix, même avant leur naissance. Tout petits, ils peuvent répéter les consonances de toutes les langues du monde, mais, à partir de l'âge de 6 mois, ils sont limités à celles de la langue qu'ils entendent. À 3 ans, ils ont acquis l'essentiel des mots de base.

D'où vient ton accent ?

La langue que tu parles et ton accent dépendent de **l'endroit où tu vis**. Tu peux aussi inconsciemment imiter tes amis, prendre leur intonation ou leurs expressions. Ta façon de parler peut donc légèrement différer de celle de tes parents. Pendant l'enfance, tu peux acquérir n'importe quel accent et apprendre couramment une langue, mais les circuits cérébraux qui captent les nouveaux sons se ferment vers l'âge de 11 ans. Ainsi, tu garderas probablement toute ta vie l'accent que tu as à cet âge.

Ton vocabulaire est-il étendu ?

Les mots que tu connais dépendent de ton âge, de l'abondance de tes lectures et de la langue que tu parles. Un dictionnaire de noms communs comporte environ 60 000 mots. Dans la vie courante, nous n'en utilisons que 1 000 à 4 000, même si nous comprenons le sens de beaucoup d'autres !

Ta façon de
PARLER

Si la capacité de parler est avant tout physique, la manière dont tu t'exprimes dépend pour beaucoup de ton éducation, de ton **accent** et de ta **langue maternelle** – jusqu'au choix de tes **mots** et même à ton sens de l'humour.

D'où vient la voix ?

La voix vient des **cordes vocales**, deux bandes de tissu qui vibrent dans le larynx, au fond de la gorge. **Touche ta gorge** quand tu parles pour sentir tes cordes vocales vibrer. Fais de même en chuchotant : tu ne sentiras rien car tu n'utilises que ta bouche pour produire des sons. La bouche transforme les sons en voyelles : regarde-toi dans un miroir en prononçant **o**, **e** ou **a**. Tu utilises aussi tes lèvres, ta langue et tes dents pour former les consonnes. Lis une phrase à haute voix sans fermer les lèvres pour comprendre.

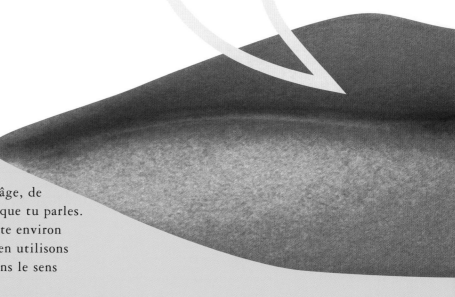

Léopard en vue !

LES ANIMAUX PARLENT-ILS ?

Pour communiquer, les animaux grognent, chantent, poussent des cris, laissent leur odeur, utilisent un langage corporel. Certains, tel le chien de prairie, émettent même des sons particuliers pour avertir leurs congénères de la présence d'un prédateur spécifique – aigle, léopard, serpent...

Il y a une chose que seul l'homme possède : la grammaire. En utilisant les règles de grammaire, nous associons les mots dans des combinaisons variées pour faire des phrases.

La seule voix que tu n'as jamais entendue fidèlement est *la tienne*.

À quoi ressemble ta voix ?

Tu entends ta propre voix en partie à travers des vibrations dans le crâne, de sorte qu'elle te parvient déformée. Enregistre-toi et écoute-toi pour savoir à quoi elle ressemble. La tonalité et la hauteur de la voix sont liées à la taille du larynx et de la bouche. Les voyelles et les consonnes que tu es capable de prononcer dépendent de ta langue maternelle.

QUESTIONS

À quoi servent les gestes ?

Pour comprendre l'importance des gestes dans le discours, essaie de décrire une spirale avec les mots seuls, ou de bloquer tes mains la prochaine fois que tu téléphones. Nous acquérons ces gestes en **copiant** inconsciemment ceux qui nous entourent. La façon dont tu soulignes les mots avec les mains ou les gestes est certainement calquée sur celle de tes parents.

Qu'est-ce qui te fait rire ?

Comme ta langue et ton accent, ton sens de l'humour vient de ton milieu et non de tes gènes. Le rire est un élément essentiel de notre communication, parce qu'il renforce les liens sociaux. Certains scientifiques pensent qu'il a le même effet physique que la toilette chez les singes. Les singes passent des heures à nettoyer la fourrure de leurs congénères. Cette activité déclenche dans le cerveau la sécrétion de substances, les **endorphines**, qui contribuent à relâcher la tension.

La dyslexie, c'est quoi ?

Certains ont du mal à lire et à écrire à cause d'un trouble de l'apprentissage du langage écrit appelé dyslexie. Un **dyslexique** fera difficilement la différence entre les lettres « b » et « d » ou entre les chiffres 6 et 9, par exemple. Les dyslexiques sont néanmoins aussi intelligents que les autres et réussissent souvent très bien dans la vie.

Quel est ton POTENTIEL ?

Tes POINTS FORTS

Réaliser son potentiel, c'est d'abord connaître ses points forts. Les psychologues définissent au moins sept domaines de compétence ou de formes d'intelligence. Quelles sont tes **aptitudes** ?

- **Relationnelles** Perçois-tu rapidement ce que les autres pensent ou ressentent ?
- **Introspectives** Comprends-tu vraiment tes propres sentiments et émotions ? Te connais-tu bien toi-même ?
- **Physiques** Maîtrises-tu rapidement les activités physiques (conduire, plonger, skier, danser…) ?
- **Musicales** Peux-tu fredonner une chanson que tu n'as entendue qu'une fois ? Chantes-tu juste ?
- **Spatiales** Trouves-tu facile de lire un plan et de bricoler avec des machines ?
- **Verbales** Es-tu grand lecteur ou bon en rédaction ?
- **Logiques** Considères-tu que les mathématiques et l'informatique sont faciles à comprendre ?

Et tes POINTS FAIBLES ?

Être mauvais dans un domaine n'est souvent pas un problème. Si tu dessines mal, cela ne t'empêche pas de devenir chef d'entreprise ou champion olympique. Il y a toutefois des domaines de compétence qui sont importants pour tout le monde et qu'il faut essayer d'améliorer. Nous sommes tous en contact avec les autres, que ce soit à la maison, à l'école ou au travail, en sorte que les relations sociales sont déterminantes. Avoir de bonnes capacités relationnelles est un atout pour réussir sa vie personnelle et professionnelle. Mais ceux qui sont d'un naturel farouche peuvent tout à fait s'améliorer et devenir plus sociables.

Vas-tu RÉUSSIR ?

Tu n'as besoin que de deux choses pour réussir : une certaine dose de compétence naturelle et la volonté de **persévérer**. Même les génies doivent travailler dur pour réussir. L'inventeur Thomas Edison disait que « le génie, c'est 1 % d'inspiration et 99 % de transpiration ». Mozart était certes un compositeur de musique génial, mais il travaillait. À l'âge de 12 ans, cela faisait cinq ans qu'il s'entraînait. De même, Albert Einstein passa son enfance à lire des traités de mathématiques et de philosophie. Le vrai génie se distingue aussi par sa **créativité** et son imagination : il n'hésite pas à rompre avec la tradition pour explorer de nouvelles voies de réflexion. Les psychologues estiment qu'il faut **10 000 heures** de pratique avant de parvenir à un niveau assez bon pour être vraiment créatif. Cela paraît beaucoup, mais ce n'est finalement que cinq ans de ta vie !

Quel est le secret du BONHEUR ?

À quoi bon réussir si cela ne te rend pas heureux ? Pour la plupart des gens, le plus important dans la vie est d'**être épanoui**. La recherche du bonheur est un sujet qui préoccupe l'homme depuis des milliers d'années. Pour les psychologues, trois dispositions d'esprit peuvent contribuer à nous mener au bonheur : on a plus de chances d'être heureux si on aime rencontrer les autres et si on ne passe pas trop de temps tout seul. Deuxièmement, on parvient plus aisément à être heureux si on n'a pas des attentes trop élevées. Et, enfin, il est essentiel de toujours voir le bon côté des choses !

Le secret de la *réussite* est de savoir où

Te sens-tu destiné à la GLOIRE et à la FORTUNE ou crains-tu de ne pas être capable d'exploiter tes capacités pour obtenir le succès que tu mérites ?

tu es bon et de jouer sur tes POINTS FORTS.

GLOSSAIRE

ADN (acide désoxyribonucléique) : très longue chaîne disposée en hélice et qui contient les gènes sous forme de code chimique.

Adolescence : période de la vie comprise entre l'enfance et l'âge adulte.

Adrénaline : hormone qui prépare le corps à l'action rapide (fuite, combat).

Allergène : protéine ou substance protéique qui peut déclencher une réaction du système immunitaire conduisant à l'allergie. Le pollen est un allergène courant.

Allergie : réaction excessive du système immunitaire à un allergène (pollen, poussière...).

Amygdale : structure en forme d'amande située dans le système limbique, à la base du cerveau. Elle joue un rôle majeur dans les émotions.

Anticorps : protéine produite par certains globules blancs. Chaque type d'anticorps a une forme qui le rend capable d'inhiber des microbes déterminés.

Artère : vaisseau sanguin aux parois épaisses, qui contient le sang circulant à partir du cœur.

Articulation : zone de jonction entre deux os.

Atome : particule de matière indivisible (sauf réaction ou explosion nucléaire).

Bactérie : organisme unicellulaire microscopique. Certaines bactéries provoquent des maladies.

Capillaire : vaisseau sanguin microscopique, qui conduit le sang jusqu'aux cellules.

Carbone : un des composants principaux du corps humain. Les atomes de carbone se lient ensemble pour former les longues chaînes des molécules organiques.

Cellule : unité élémentaire, microscopique, constituant les organismes vivants. Les cellules possèdent un noyau et un cytoplasme contenus dans une membrane.

Cervelet : structure en forme de chou-fleur située à l'arrière du cerveau, qui joue un rôle essentiel dans l'équilibre et la coordination des mouvements.

Chromosome : minuscule structure contenue dans le noyau de la cellule et composée d'ADN.

Clone : organisme développé à partir d'une cellule d'un autre organisme et génétiquement identique. Les vrais jumeaux sont des clones naturels.

Cortex cérébral : partie externe et plissée du cerveau.

Dominant (gène) : gène qui l'emporte sur d'autres gènes, dits récessifs.

Embryon : stade précoce du développement d'un être vivant. Chez l'homme, nom donné à l'être humain durant les trois premiers mois de son développement dans l'utérus.

Empreinte génétique : ensemble de bandes obtenues en cassant l'ADN et en séparant les fragments dans une gélatine. La police et les médecins légistes utilisent les empreintes ADN pour établir une identité.

Endorphine : médiateur chimique sécrété par le cerveau, qui diminue la douleur.

Enzyme : protéine qui accroît la vitesse d'une réaction chimique donnée. Les enzymes digestives accélèrent les réactions qui cassent les grosses molécules alimentaires en fragments plus petits.

Fécondation : fusion d'un spermatozoïde et de l'ovule créant un nouvel individu.

Gène : instruction contenue dans une molécule d'ADN. Les gènes sont transmis des parents à la descendance lors de la reproduction.

Génome : ensemble des gènes d'un organisme.

Hémoglobine : protéine porteuse d'oxygène contenue dans les globules rouges. L'hémoglobine renferme du fer et donne au sang sa couleur rouge.

Hippocampe : structure cérébrale en forme d'hippocampe, qui joue un rôle dans la mémorisation.

Histamine : substance sécrétée par certains globules blancs, qui enflamme et irrite les tissus. L'histamine est libérée lors des réactions allergiques et quand des microbes ou des toxiques pénètrent dans l'organisme.

Hormone : substance libérée dans le sang par une glande et qui a des effets sur d'autres parties du corps.

Iris : zone colorée de l'œil. L'iris renferme des muscles qui contrôlent l'ouverture et la fermeture de la pupille.

Lobes frontaux : principales parties antérieures du cortex cérébral. Ils jouent un rôle majeur dans la prise de décisions.

Lobes sensoriels : zones du cortex cérébral (pariétale, temporale, occipitale) qui traitent les informations des organes sensoriels.

Microbe : organisme microscopique qui, comme les virus ou les bactéries, peut provoquer une maladie.

Molécule : groupement ordonné d'atomes. Une molécule d'eau, par exemple, réunit deux atomes d'hydrogène et un atome d'oxygène (H_2O).

Mucus : sécrétion épaisse et collante produite par la membrane du nez, de la gorge, des bronches et des intestins.

Nerf : faisceau de longues fibres nerveuses. Les nerfs transmettent les signaux électriques (influx) entre le cerveau et le corps.

Neurone : cellule du système nerveux.

Neuromédiateur : substance qui traverse le fossé microscopique (synapse) entre deux neurones, transmettant l'influx nerveux d'un neurone à l'autre.

Organe : structure complexe dotée d'une fonction spécifique, comme le cœur, l'estomac ou le cerveau.

Ovule : cellule sexuelle féminine.

Oxygène : gaz absorbé par le sang dans l'air que nous respirons. Nos cellules ont besoin d'oxygène pour libérer l'énergie fournie par les aliments.

Placenta : organe à travers lequel un bébé prélève l'oxygène et les aliments dans le sang de sa mère pendant la vie intra-utérine.

Protéine : molécule complexe composée d'une chaîne d'unités de base, les acides aminés. Des protéines appelées enzymes contrôlent la plupart des réactions chimiques des organismes vivants.

Psychanalyste : thérapeute qui tente d'aider ses patients en analysant leurs rêves, leurs souvenirs et leurs relations familiales pendant l'enfance. Le père de la psychanalyse est Sigmund Freud.

Psychologue : spécialiste qui étudie l'esprit, le comportement et la personnalité et peut aider à les faire évoluer.

Puberté : étape de la croissance marquée par le développement de l'appareil reproducteur.

Pupille : cercle noir au centre de l'œil. C'est l'orifice qui laisse entrer la lumière dans l'œil.

QI (quotient intellectuel) : mesure de l'intelligence déduite de tests d'aptitudes numériques, spatiales et verbales.

Récessif (gène) : gène dont l'expression est masquée par la présence d'un gène dominant.

Spermatozoïde : cellule sexuelle masculine fabriquée par les testicules.

Subconscient : en deçà du champ de la conscience. Un processus subconscient se produit sans que nous le sachions.

Système immunitaire : ensemble de tissus et de cellules qui défendent le corps contre les microbes, virus ou bactéries.

Système limbique : groupe de structures au centre du cerveau qui jouent un rôle dans l'émotion et les processus inconscients.

Système sympathique : l'une des deux branches principales du système nerveux involontaire. Le système nerveux sympathique prépare le corps à l'action.

Tendon : tissu fibreux très solide qui attache un muscle sur un os.

Testostérone : hormone sexuelle mâle. La testostérone déclenche le développement des caractères sexuels masculins à la puberté.

Tissu : groupement de cellules du même type, comme la peau, l'os ou le muscle.

Transplantation : opération chirurgicale qui consiste à remplacer un organe malade par un organe sain prélevé sur une autre personne.

Veine : vaisseau sanguin aux parois fines, qui contient le sang retournant au cœur.

Virus : organisme très simple composé d'un brin d'ADN abrité dans une enveloppe protéique. Les virus se reproduisent en infectant une cellule, ce qui provoque souvent une maladie.

INDEX

REMERCIEMENTS

Dorling Kindersley remercie les personnes suivantes pour leur contribution à cet ouvrage : Janet Allis, Penny Arlon, Maree Carroll, Andy Crawford, Tory Gordon-Harris, Lorrie Mack, Pilar Morales pour l'infographie, Laura Roberts, Cheryl Telfer, Martin Wilson.

Merci aussi à Somso Modelle 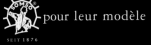 pour leur modèle anatomique (page 16).

L'éditeur tient à remercier les personnes qui lui ont aimablement permis de reproduire leurs images. Abréviations : b = bas ; h = haut ; c = centre ; g = gauche ; d = droite.

Corbis : Bettmann 77cg ; Cameron 57hd ; Cheque 36-37b ; L. Clarke 37hd ; Robert Holmes 52cb ; Richard Hutchings 22cdb ; Thom Lang 6hg, 13bcd, 14cgb (cerveau) ; Lawrence Manning 35bg ; John-Marshall Mantel 52ch ; Reuters 28bc ; Anthony Redpath 1hg (photos) ; ROB & SAS 33bd ; Royalty Free Images 29hc (bouche), 79c ; Nancy A. Santullo 64bc, 70hg ; Norbert Schaefer 36-37c ; Strauss/Curtis 22g, 78d ; Mark Tuschman 64cgb, 78g ; Larry Williams 34c ; Elizabeth Young 34cg. DK Images : Commisioner for the City of London Police 73cd ; Denoyer/Geppert Intl. 17cgb, 19hd, 20hd ; Eddie Lawrence 59hd ; Judith Miller, Otford Antiques & Collectors Centre, Kent 64cb (ourson), 67bg, 69cgb, 16d ; Jerry Young 62c. Getty Images : Alistair Berg 26,

27 ; Tipp Howell 49cdh ; Andreas Kuehn 64ch (visage), 79d ; Stuart McClymont 52c ; Eric O'Connell 80-81b ; Royalty Free/ Alan Bailey 64bd, 78c ; Chip Simons 77d ; Anna Summa 79g, 85bcg ; Trujillo-Paumier 64hd, 76-77b ; V.C.L. 36cg ; David Zelick 34hd. Science Photo Library : 10g, 11hg, 11gd, 11g, 11d, 14cdb (flacon de gauche), 14cdb (flacon de droite), 15cg, 18cg ; Alex Bartel 39cd ; Annabella Bluesky 22cda, 35bd ; Neil Bromhall 39cg ; BSIP Ducloux 22cd ; BSIP, Joubert 18cgh ; BSIP/Serconi 11hcg ; BSIP VEM 18cgb, 78bg ; Scott Camazine 19bg ; CNRI 6cd, 13bcg, 17cgb, 20cgh, 20bg ; Dept. of Clinical Cytogenetics, Addenbrookes Hospital 33bc ; John Dougherty 12bg ; Eye of Science 19cgb, 20cg ; David Gifford 6, 22hd ; Pascal Goetcheluck 28hcd ; Nancy Kedersha 5cg, 44-45 ; Mehau Kulyk 11hc, 18d, 30cgb ; Francis Leroy, Biocosmos 38g ; Dick Luria 21bg ; David M. Martin, M.D. 19cg ; Hank Morgan 29bc, 29hc (graphique), 47bd, 81hd ; Dr. G. Moscoso 38d ; Prof. P. Motta, Dept. of Anatomy, University « La Sapienza », Rome 15cgh ; Profs. P.M. Motta & S. Makabe 38cd ; Dr. Yorgos Nikas 38cg ; David Parker 28hcg ; Alfred Pasieka 29bg, 46-47c(cerveau); Prof. Aaron Polliack 10d, 14cdb (flacon du milieu) ; Victor De Schwanberg 12bcg, 13hd, 14cgb (cœur), 14cgb (rein) ; Volker Steger 58hg, 72-73 ; VVG 6hd, 21cdb ; Andrew Syred 6cgb, 11hcd, 17cgh, 21cg, 28hd, 30cg ; Paul Taylor 12bcd ; Tissuepix 39g ; Geoff Tompkinson 46bg; 83 (voiture) National Motor Museum, Beaulieu, Somso Modelle 14h ; Toutes les autres images © DK Images.

RÉPONSES

Page 51
DROITE OU GAUCHE ?

Tu es certainement allé plus loin avec une main qu'avec l'autre. C'est ta main dominante, celle que tu utilises pour écrire. Si tu es allé aussi loin avec les deux mains, considère-toi comme un sujet rare : presque tout le monde préfère l'une ou l'autre main.

Page 54
TA MÉMOIRE DES MOTS

Si tu as inscrit plus de 8 mots, bravo ! Les mots sont plus difficiles à retenir que les visages, mais plus faciles à mémoriser que les nombres. Tu as sans doute mieux mémorisé les mots inhabituels (comme vinaigre) que les mots courants (comme salade). C'est parce que ton cerveau est plus attentif à tout ce qui est imprévu. Pour améliorer ton score, essaie d'associer des mots, comme « de la confiture sur le tapis » ou « un caillou sur la chaise ».

Page 55
TA MÉMOIRE VISUELLE

Si tu t'es souvenu de plus de la moitié des objets, bravo ! Ce test est plus difficile que celui des mots, car tu ne peux pas utiliser ton imagination pour créer des images mentales. Les objets posés sur le plateau sont sans intérêt et ont du mal à rester longtemps dans ta mémoire immédiate.

Page 55
TA MÉMOIRE DES NOMBRES

La plupart des gens peuvent enregistrer sept chiffres à la fois, pas plus, dans leur mémoire immédiate. Bravo si tu as fait mieux ! Les chiffres sont plus difficiles à mémoriser que les mots ou les images, car ils n'ont généralement pas d'intérêt en soi. Pour mémoriser un grand nombre, répète-le plusieurs fois jusqu'à ce que ton cerveau enregistre le son du nombre. Tu peux le faire en silence dans ta tête, sans le dire à haute voix.

Pages 60-61
INTELLIGENCE SPATIALE

1e, 2b, 3b, 4e (les croissants rouge et bleu ne sont pas orientés de la même façon), 5d (regarde les diagonales), 6a, 7d, 8b, 9b, 10e.

Pages 60-61
INTELLIGENCE VERBALE

1c, 2d, 3a, 4d, 5e, 6c, 7e, 8d, 9a, 10c, 11d, 12c, 13e, 14a, 15b, 16b.

Pages 62-63
INTELLIGENCE NUMÉRIQUE

1e, 2e, 3a, 4d (l'addition de chaque paire de nombres donne le suivant dans la séquence), 5b, 6e (chaque lettre est remplacée par son rang dans l'alphabet), 7e (x est le nombre d'escargots trouvés par Tom ; $30 = 5x + x$; $30 = 6x$; $x = 5$), 8d (c'était un piège), 9d, 10c (un autre piège !), 11d, 12a, 13b, 14b (tous les nombres sont des carrés, mais tu peux aussi procéder par soustractions : $-23, -21, -19...$), 15c.

Pages 62-63
INTELLIGENCE INTUITIVE

1. Un poussin dans un œuf.
2. Ce sont les traces d'un bonhomme de neige qui a fondu.
3. Le sac à dos contenait un parachute qui ne s'est pas ouvert.
4. Ils font partie de triplés.
5. Une plaque carrée (ou rectangulaire) risquerait de tomber par le trou car un de ses côtés est plus petit que la diagonale de l'ouverture de l'égout.
6. Le punch contenait des glaçons faits avec de l'eau empoisonnée. L'homme est parti avant que les glaçons fondent.
7. Rien : le riche n'a pas « rien », le pauvre a « rien », on meurt si on ne mange « rien ».
8. Allume le premier interrupteur et laisse le deuxième fermé. Allume le troisième pendant une à deux minutes, puis ferme-le. Cours à l'étage : une des lampes est allumée (interrupteur 1), une est éteinte et froide (interrupteur 2), une est éteinte et chaude (interrupteur 3).
9. L'homme est un nain qui ne peut atteindre que le bouton 7 de l'ascenseur. Quand il pleut, il utilise son parapluie pour appuyer sur le bouton du haut.

Page 75
CHOUETTE OU ALOUETTE ?

Compte 4 points pour chaque A, 3 pour chaque B, 2 pour chaque C, 1 pour chaque D.

6-11 points Tu es une chouette qui aime traîner le soir. Mais si tu sens que tu manques de sommeil, couche-toi plus tôt en semaine.

12-18 points Ni chouette ni alouette, tu as certainement de bonnes habitudes de sommeil.

19-24 points Tu es une alouette qui aime les petits matins.

Page 85
PEUX-TU DÉCODER CES SOURIRES ?

Les sourires 1, 2 et 3 sont simulés ; les sourires 4, 5 et 6 sont sincères.